Prefazione

Alcune persone speciali hanno reso possibile la stesura di questo libro e sono più che felice di dichiarare il mio debito verso ciascuna di loro. In primo luogo, la mia famiglia e la mia comunità, che hanno dovuto far fronte al continuo ticchettio della macchina da scrivere e che, probabilmente, hanno dovuto far attenzione a come si comportavano, nel caso venissero dati alla stampa aneddoti o racconti su di loro.

Colm e Carmel Wynne sono stati tanto gentili da revisionare il manoscritto, fornendo suggerimenti e cercando eventuali errori. Ne hanno trovati parecchi e sono grato per la loro diligenza. Anche Eddie O'Donnel ha esaminato attentamente il lavoro man mano che procedeva e mi ha saputo guidare con la sua esperienza. Senza il suo aiuto il manoscritto non avrebbe mai raggiunto lo stadio della pubblicazione. Lo ringrazio sinceramente per la sua gentilezza. Kennedy O'Brian è stato così cortese da aggiustare il computer ogni volta che riuscivo a combinare pasticci. Tutte le imperfezioni e gli errori che ancora sussistono vanno attribuiti esclusivamente al sottoscritto.

Negli anni scorsi parecchie persone si sono unite a me nei corsi e ritiri improntati sullo stile di Anthony De Mello. Ognuna di loro mi ha permesso di provare alcuni degli esercizi di preghiera e di meditazione ivi presentati e mi ha cortesemente informato su ciò che questi esercizi hanno rappresentato per loro. Anche alcuni degli studenti con cui lavoro nella scuola superiore mi hanno permesso di provare insieme a loro le meditazioni. Non sono mai stati restii a dichiarare quale impatto questi esercizi abbiano avuto su di loro e li ringrazio per il loro coraggio e la loro onestà.

Introduzione

Fin dall'introduzione del mio primo libro su padre Anthony De Mello[1], parecchie persone sono venute da me chiedendomi ulteriori informazioni sull'uomo Anthony De Mello, il suo messaggio e i suoi consigli su come poter pregare. Queste persone erano rimaste affascinate da lui, dai suoi libri, dalle sue apparizioni televisive, nonché dalla sua arguzia e saggezza. Molti hanno detto che, mentre lo ascoltavano, ricevevano in dono un nuovo entusiasmo per la vita. Studiando attentamente gli scritti sulla preghiera di Anthony De Mello, avevano colto l'estrema utilità delle meditazioni e degli esercizi di introspezione da lui presentati. E adesso si domandavano dove trovarne altri. Io ho cercato di elaborare delle meditazioni e degli esercizi di introspezione simili, inseriti alla fine di ciascun capitolo di questo libro.

Alcune persone, a seguito di quanto sentito in merito alle critiche mosse contro Anthony De Mello da alcuni settori della Chiesa cattolica romana, vorrebbero avere una visione più chiara della questione.

[1] CALLANAN J., *Dove non osano i polli*, Piemme, Casale Monferrato 1997.

In questo libro, cercherò di esaminare alcune di quelle critiche. Chi era Anthony De Mello e da dove veniva? Che cosa ha influenzato il suo stile di preghiera? I suoi metodi di preghiera sono utili ai cristiani del giorno d'oggi? Qual è il modo migliore per noi – individualmente o in gruppo – di mettere in pratica oggi le sue intuizioni? Infine, perché uno dei dipartimenti del Vaticano ha sentito la necessità di mettere in guardia i cattolici contro i possibili pericoli contenuti nei suoi insegnamenti?

La maggior parte di coloro che hanno conosciuto da vivo Anthony De Mello, hanno intuito che egli aveva qualcosa da offrire di molto speciale. Come me, sono stati influenzati ed entusiasmati da lui. Hanno inoltre sentito la loro fede risvegliarsi attraverso i suoi insegnamenti e le sue parole. Egli è stato capace di riattizzare il fuoco della fede dentro ognuno di loro. Spero e credo che ciò che ha lasciato dietro di sé possa continuare a donare speranza e forza a coloro che seguono i suoi metodi.

1
IDENTIKIT DI ANTHONY DE MELLO

Se il tuffatore pensasse sempre allo squalo,
non metterebbe mai le mani sulla perla.

Proverbio indiano

In Africa si racconta una storia. La stagione delle piogge era stata la più terribile a memoria d'uomo e uno dei fiumi del posto aveva rotto gli argini. Le acque ricoprivano tutto. Gli animali erano in preda al panico e le acque crescevano così velocemente che molti di loro affogarono. In questa baraonda le scimmie furono più fortunate della gran parte degli animali perché riuscirono ad arrampicarsi in cima agli alberi. Da questo vantaggioso punto di osservazione, guardarono giù nelle acque sottostanti, dove i pesci nuotavano e guizzavano qua e là con grazia.

Una delle scimmie, indicando i pesci, disse ai suoi compagni: «Guardate, quelle povere creature laggiù stanno per affogare. Non vedete come si dimenano nell'acqua? Sembra non abbiano neppure le zampe. Come possiamo salvarle? Penso che dovremmo fare qualcosa».

Così le scimmie scesero fino agli argini delle acque schiumanti e cominciarono, non senza difficoltà, ad afferrare i pesci. A uno a uno, tirarono fuori tutti i pesci dall'acqua e li depositarono con attenzione sul suolo asciutto. Dopo breve tempo, c'era una catasta di pesci che giaceva sull'erba, immobile.

Una delle scimmie disse: «Vedete com'erano stanchi? Ora stanno riposando e dormono. Se non fosse stato per noi, tutte queste povere creature senza gambe sarebbero annegate».

Le altre scimmie dissero: «Cercavano di sfuggirci perché non capivano le nostre buone intenzioni, ma quando si sveglieranno ci saranno grati perché li abbiamo salvati».

Questo è un racconto che dovrebbe servirci da avvertimento, un racconto che potrebbe essere ascoltato con gran beneficio da coloro che, non richiesti e non voluti, calpestano il territorio dei propri vicini. Credo che a padre Anthony De Mello sarebbe piaciuto questo aneddoto perché egli stesso parlava regolarmente di istituzioni e individui che portano via l'ossigeno dall'atmosfera, soffocando così quelli che stanno loro intorno. Le buone intenzioni unite alla stupidità, ammoniva, sono una combinazione mortale.

Allora, chi è questo Anthony De Mello e da dove è venuto? Ecco le note biografiche essenziali. Era indiano, prete gesuita, ed è morto improvvisamente nel 1987 all'immatura età di cinquantasei anni, mentre conduceva uno dei suoi famosi laboratori di preghiera. Quando ho cercato di scoprire qualcosa sulla sua vita giovanile, sono stato aiutato da un anziano gesuita indiano, padre Stanny Mirandra, a cui sono grato, che lo conosceva da quando era entrato nella Compagnia di Gesù. Ecco alcuni dei suoi ricordi. «Anthony De Mello nacque il 4 settembre 1931 a Bombay, in India. Durante la fanciullezza visse con la famiglia a Bandra, dove frequentò il vicino liceo dei gesuiti. Entrò nella Compagnia di Gesù nel 1947, quando aveva appena sedici anni. Durante l'apprendistato presso i gesuiti, studiò prima a Bombay, dopo di che studiò filosofia a Barcellona, psicologia alla Loyola University di Chicago e spiritualità all'Università Gregoriana di Roma. Ordinato sacerdote nel 1961, fu missionario, per breve tempo, a Shirpur, nell'India settentrionale, dove lavorò tra le tribù locali. In seguito, venne nominato padre superiore della parrocchia Manmad e, subito dopo, consigliere della sua provincia e del padre provinciale. Con questo ampio e variegato bagaglio accademico a suo favore, Anthony De Mello sviluppò un grande interesse per i vari tipi di preghiera, sia orientali sia occidentali. Cominciò a condurre ritiri, corsi, conferenze e seminari sulla preghiera e sulla vita. Normalmente la sua base per tali corsi era vicino a Poona, in India, dove diresse un centro di ritiro e preghiera chiamato Sadhana. Al fine di finanziare questa operazione, si recò regolarmente in America, Europa, Australia e in altri paesi, dove teneva i suoi richiestissimi seminari. Man mano che viaggiava, le sue parole cominciarono a creare speranza ed entusiasmo fra coloro che seguivano i suoi corsi. Lavorò instancabilmente fino al 2 giugno 1987, quando, dopo aver quasi completato un altro corso di preghiera alla Fordham University di New York, morì improvvisamente per un attacco cardiaco. Fu sepolto in India, a Bandra, dove era stato battezzato. Alcuni dicono che è stato un paradosso nella morte come lo era stato in vita.»

Essendo io un gesuita irlandese, non mi è stato facile scoprire particolari precisi sulla prima formazione della fede di Anthony De Mello. Ho quindi un debito di riconoscenza verso padre Stanny per queste note aggiuntive: «Ho incontrato Anthony quando era studente novizio a San Cugat, in Spagna. Già allora si dimostrò una persona vivace e allegra, sempre al centro dell'attenzione fra i suoi compagni. Fin dall'inizio, capii che era uno che eseguiva ciò che gli veniva assegnato, e lo faceva mettendoci tutto se stesso. Era inoltre chiaro, fin da quei primi tempi del suo apprendistato, che possedeva un grande potere di persuasione. Si trovò coinvolto nel movimento carismatico, e in breve tempo riuscì a convincere i suoi colleghi a interessarsene e a entrare anch'essi a farne parte. Dopo di che, iniziò a condurre corsi e ritiri sulla preghiera per i gesuiti e per quanti vi fossero interessati. Fu allora che cominciò a constatare come molti dei problemi che riscontrava nei rapporti con i partecipanti ai ritiri erano non tanto problemi spirituali quanto psicologici. Questa è stata un'intuizione che ha permeato i suoi corsi in una fase successiva della sua vita».

Dalle parole di padre Stanny risulta evidente che, anche nei primi tempi della sua formazione gesuita, Anthony De Mello veniva considerato speciale. Aveva un carisma che era impossibile negare. Coloro che lo hanno conosciuto bene ritengono che la sua vita e il suo lavoro si dividano nettamente in tre fasi. Prima di tutto, abbiamo il direttore spirituale. Dopo viene il consulente psicologico. Infine appare il mistico orientale.

Lo stesso Anthony De Mello disse che, quando iniziò come guida spirituale e direttore di ritiri, era estremamente severo. Il suo tirocinio ignaziano gli aveva insegnato a essere così. Ma l'esperienza e la riflessione sulla vita e sulla preghiera cominciarono a influenzare i suoi insegnamenti a tal punto che cominciò a rendersi conto di quanto la generosità spirituale richiesta per ottenere i ricchi frutti degli *Esercizi spirituali* di sant'Ignazio non fosse sufficientemente presente nella maggior parte degli individui. Si mise perciò all'opera per smantellare i blocchi psicologici che molti cristiani avevano costruito intorno e all'interno di se stessi. Sapeva che questi blocchi impedivano loro di essere totalmente umani e di entrare in pieno contatto con il loro Dio secondo le loro capacità.

In Irlanda i gesuiti vennero a contatto con Anthony De Mello per la prima volta nel 1975. Secondo quanto si racconta, l'allora padre provinciale irlandese incontrò Anthony De Mello e lo stile di preghiera che diffondeva in occasione di un congresso mondiale dei gesuiti che si tenne a Roma dal dicembre 1974 al marzo 1975. Sembra che padre Anthony De Mello fosse incaricato di guidare i partecipanti nella preghiera mattutina, prima che iniziassero i lavori della giornata. Molti rimasero profondamente colpiti dal modo in cui egli svolgeva il suo compito. Per questa esperienza, Anthony De Mello fu invitato a condurre un corso sulla preghiera in Irlanda. Ciò che aveva da dire fu per molti come una ventata di aria fresca. Per altri fu devastante. Ricordo bene la serata d'apertura del primo corso che Anthony De Mello tenne in Irlanda. Un folto gruppo di gesuiti si era riunito per ascoltarlo. Pochissimi di noi conoscevano il suo nome o il suo lavoro. Ero presente a quella serata d'apertura quando Anthony arrivò e si sedette in mezzo a noi. Com'era sua abitudine, si apprestò a far fronte alla folla riunita senza appunti. Si piazzò di fronte al gruppo, seduto sul tavolo, la schiena perfettamente eretta. Dalla sua bocca uscirono storie, parabole, aneddoti, consigli, confessioni, domande dirette e accattivanti meditazioni. Tutto l'insieme era intrecciato con tale arte e abilità che il tempo passò velocemente e senza fatica. Quando ebbe finito, chiese se c'erano domande. Mentre parlava, devo ammettere che io, fresco novizio gesuita, ero completamente incantato. Notai anche che altri, inclusa una buona parte dei gesuiti più anziani, non ne erano rimasti altrettanto entusiasti. Mi sembrava, e doveva essere sembrato anche a loro, che molte delle vacche sacre che avevano venerato durante gli anni del loro cammino spirituale da gesuiti fossero state messe in ridicolo. Questa posizione fu ben rappresentata da un eminente religioso che si alzò in piedi lentamente. Mi era sembrato di vedere del fumo uscirgli dalle orecchie mentre Anthony parlava, ma non ne sono certo. L'interrogante procedette raccontando a Anthony, con calma e determinazione, le proprie difficoltà. Man mano che la domanda veniva formulata, appariva chiaro che – invece di essere una domanda centrata sul discorso – era piuttosto un commento su quanto Anthony aveva precedentemente detto. Questo abile gesuita andò avanti esaminando ogni parte del discorso appena ascoltato e cercò di ridurlo, in massima parte, a brandelli. Dopo circa dieci minuti si sedette.

Tutto il pubblico aspettava con il fiato sospeso la risposta. L'attesa sembrava non aver fine. Poi, molto lentamente, Anthony rispose. «Ha ragione, padre» disse. Nel sentire questo, la persona che aveva posto la domanda si rallegrò. Devo ammettere che sembrava piuttosto sorpreso che le sue critiche avessero ottenuto una risposta così generosa. Seguì quindi una pausa, che sembrò durare dieci minuti, ma che in realtà ebbe la durata di dieci secondi, prima che Anthony dicesse: «E anch'io ho ragione. La prossima domanda, prego».

Secondo me il più delle volte Anthony sentiva che, quando vengono poste delle domande durante una conferenza, viene espresso non tanto ciò che la gente vuol sapere, quanto ciò che desidera dire. Perciò la sua risposta era in genere breve. Non discuteva con i suoi ascoltatori. Spiegava a tutti che quanto da lui presentato era ciò che aveva scoperto essere vero per lui, nella sua vita. Se era utile anche a coloro che lo ascoltavano, ne era più che felice. Se, tuttavia, essi lo trovavano inutile, irrilevante o non vero per sé, dovevano scuotere la polvere dai piedi e tornarsene immediatamente ai loro vecchi modi o a qualsiasi cosa essi trovassero utile nella propria vita. In genere, però, la gente trovava che le sue analogie, le sue storie, la sua critica efficace sulle vacche sacre, di cui erano brillantemente disseminati i suoi corsi, ispiravano una rivalutazione della propria vita che a nessuno dispiaceva fare. Le persone capivano che egli le aiutava a scoprire "l'io profondo" di cui non erano sicure. Si serviva della massima di sant'Agostino: «Non uscire da te stesso. Ritorna dentro di te. La sede della verità si trova all'interno dell'uomo».

Nel corso di questi ultimi anni, nel condurre ritiri e corsi di preghiera sullo stile di Anthony De Mello, ho incontrato molti che hanno detto che, grazie alle intuizioni e ai suggerimenti della preghiera di Anthony, hanno scoperto la libertà e sono cresciuti nella propria vita quotidiana. Il suo dono di aver reso viva e densa di significato la preghiera li ha resi liberi e li ha fatti progredire nel cammino di ascesi spirituale.

Anthony De Mello ha accettato il fatto che un buon insegnante celebra, e prende in considerazione, il punto in cui ti trovi nel momento presente. Egli si unisce a te nei tuoi sogni e ti aiuta a renderli più chiari a te stesso. Ti assiste inoltre nel successivo e positivo passo avanti nel tuo quotidiano cammino di ascesi spirituale. Come santa Teresa di Lisieux ha suggerito, egli ha anche capito che, senza l'aiuto di Dio, nessun direttore spirituale può guidare una persona ad andare avanti nella vita spirituale. «Lo so che sembra facile aiutare delle anime ma, senza l'aiuto di Dio, sarebbe più facile far splendere il sole di notte. È necessario bandire il proprio gusto e le proprie idee personali e guidare le anime lungo la speciale strada che Gesù indica per loro, piuttosto che lungo la propria via personale.»

Anthony ha messo in guardia contro il seguire pedissequamente ciò che diceva. Ha sottolineato che si può imparare dall'esperienza e dalle conoscenze del maestro, ma la prova cruciale della saggezza e del consiglio del guru è: «Tutto questo ha un senso e sento veramente che è giusto per me?».

Ha fatto notare che la santità va ricercata nella vita quotidiana. Diceva: «Ho sentito troppi indù che hanno udito il flauto di Krishna». In altre parole: «Mi sono state presentate troppe false albe». La vera illuminazione consiste nel vivere interamente nel presente ed esserne totalmente consapevoli. Ha sottolineato il fatto che sant'Ignazio di Loyola, fondatore della Compagnia di Gesù, aveva avuto delle avventure mistiche che avevano prodotto in lui paradisi di illuminazione e turbinii di depressione. Dopo tali esperienze, egli intraprese una forma di vita ascetica e apostolica deliberatamente semplice. Ha insistito su questa semplicità con i suoi seguaci, spingendoli a trovare Dio in tutte le cose. Anthony De Mello sostiene che i buoni insegnanti sanno nei loro cuori di poter offrire a coloro che incontrano solo ciò che è già a loro disposizione, se soltanto essi volessero aprire gli occhi. Nella sua conferenza di apertura in Irlanda, Anthony De Mello sottolineò pure, come avrebbe fatto ancora molte volte nel corso della sua vita, che gran parte delle persone sono inconsapevoli o addormentate e non desiderano essere risvegliate dal loro sonno. Infatti, spesso uccidono colui che li disturba. Disse che non si dovrebbe cercare di insegnare a cantare a un maiale, in quanto ciò servirebbe solo a frustrare chi cerca di insegnare e irriterebbe il maiale. Egli ha sparso le sue perle di saggezza fra i suoi ascoltatori, ma li ha avvertiti di non accettare ciò che diceva senza prima averlo esaminato approfonditamente alla luce della propria esperienza personale.

Nel corso della sua vita e mediante il suo lavoro, Anthony De Mello divenne sempre più consapevole che la religione – oltre a essere una cosa bellissima che dà significato e scopo alla vita di una persona – può anche rendere la gente dura, intollerante e fanatica. Una tale religione, egli suggerisce, è sterile e pericolosa. Tali opinioni gli crearono problemi. Mormorii critici si levarono dagli ambienti a lui vicini come da quelli a lui poco affini. Vennero così condotte inchieste su quanto faceva nel suo istituto Sadhana in India, e furono inviati investigatori per controllare il suo lavoro. Come egli stesso ci disse in un'occasione, in Irlanda, non fu trovato niente di sbagliato e gli venne dato un certificato di buona salute.

Dopo la sua morte, tali inchieste hanno ripreso a perseguitare la sua reputazione. Nell'agosto 1998, la Congregazione per la Dottrina della Fede rese pubblica una notifica riguardante gli scritti di padre Anthony De Mello al fine – è così che la cosa fu presentata – di proteggere ciò che di buono c'è nei fedeli cristiani.

Le posizioni di Anthony De Mello furono dichiarate incompatibili con la fede cattolica, nonché causa di grave danno. La notificazione, così come l'ho intesa, formula tre accuse principali. In essa, si sostiene che Anthony De Mello si allontana anzitutto dalla questione dell'esistenza di un Dio personale. In secondo luogo, si sostiene che egli dà un peso insufficiente all'unicità di Gesù e sembra che lo ponga sullo stesso piano degli altri profeti. Si sostiene infine che Anthony De Mello prende le distanze dall'esplicita autorità delle Scritture e della Chiesa.

A seguito della formulazione di tali accuse, un gruppo di difensori si erse in difesa di Anthony De Mello. Tra loro, vi erano alcuni vescovi indiani che fecero notare che lo stesso Anthony De Mello, all'inizio del suo libro *Il canto degli uccelli*, spiegava chiaramente il suo punto di vista. «Questo libro è stato scritto per gente di ogni credo, religioso o non religioso. Non posso tuttavia nascondere ai miei lettori il fatto di essere un prete della Chiesa cattolica. Ho certo spaziato liberamente attraverso tradizioni mistiche che non sono cristiane. È però alla mia Chiesa che continuo a ritornare, perché è la mia patria spirituale. Talvolta, sono acutamente e penosamente consapevole dei suoi limiti e della sua occasionale ristrettezza di vedute. Sono però altrettanto consapevole del fatto che è stata essa a formarmi, a plasmarmi e a rendermi quello che sono oggi.»

Anche altri scrittori si levarono in sua difesa. Questi hanno cercato di inserire i suoi scritti nella prospettiva culturale appropriata. Hanno fatto notare che Anthony De Mello era un orientale e che parlava con una mentalità più orientale che romana. Questo punto è stato esaminato nell'ottimo articolo di Ivana Dolejsova, apparso nel numero di gennaio 1999 della rivista inglese «The Month». L'autrice mette in risalto il fatto che le storie e le favolette di Anthony De Mello vengono presentate allo scopo di accendere il fuoco della fede, della speranza e dell'amore nel cuore della gente. Non intendevano essere dei dogmi. Anthony De Mello non era un legislatore, ma un cantastorie, un poeta e un compagno di preghiera. Ciò che lo interessava di più era risvegliare dal sonno chiunque incontrava, aiutandolo a riscoprire nella propria vita il senso della preghiera, della contemplazione e della speranza.

Leggendo i suoi libri, o ascoltando le sue parole io, ad esempio, trovo difficile accettare come le accuse contro di lui possano reggere. Peraltro, non conosco nessuno che pensi di essere stato danneggiato dagli insegnamenti di Anthony De Mello. È forse vero il contrario. Allora, qualcuno è stato danneggiato? Devo ancora incontrare qualcuno che è stato sviato dai libri di Anthony De Mello. Ho invece incontrato parecchie persone che credono sinceramente di essere state guidate verso Dio proprio dalle sue parole. Coloro che sono stati molto influenzati da Anthony e che cercano di usare le sue intuizioni e il suo stile di preghiera per guidare altri verso Dio mi hanno assicurato di non aver constatato alcun danno. È vero che i suoi ascoltatori erano a volte spiazzati dal suo stile diretto, ma questo serviva solo a far sì che si dedicassero a un maggiore impegno verso Cristo. Può darsi che abbiano dovuto mettere di nuovo a fuoco le proprie idee e il proprio stile di vita, ma sembra che siano tutti d'accordo sul fatto che questa nuova messa a fuoco abbia dato alla loro vita nuova vivacità, libertà, gioia e una consapevolezza della presenza di Dio.

Molti sono convinti che il libro originale di Anthony De Mello sulla preghiera *Sadhana: una via verso Dio oggi* sia stato uno dei principali contributi e aiuti pratici per la preghiera cristiana ortodossa, creativa e pratica, fra tutti quelli pubblicati negli ultimi venticinque anni. Nel 1977, quel libro raggiunse la ventiduesima edizione ed è tuttora molto richiesto. Esso risponde a un reale bisogno sia per i cattolici sia per altri, e insegna a pregare effettivamente e affettivamente. Il gesuita David Toolnan, redattore associato della rivista «America», dice che, a suo parere, il libro è, e resta, il miglior libro cattolico "fai da te" per chiunque sia alla ricerca di istruzioni sul modo di pregare. Ci tiene a precisare che Anthony De Mello non scrive di teologia come tale: è un raccoglitore di idee e parabole che ha elaborato acutamente dei racconti per scuotere la gente e farla pensare. È stato soprattutto un artista nell'aiutare le persone a reimmaginare Dio. Padre Stanny, che ho precedentemente citato, dice: «La cosa che ricordo di più di padre Anthony De Mello è la sua immagine di Dio: al di là delle parole sì, ma senza limiti in fatto di generosità, di amore e di perdono. Sono certo che Anthony è colui che più mi ha influenzato nella vita. Mi ha condotto ad amare in modo personale Cristo e mi ha anche incoraggiato ad acquisire una conoscenza più approfondita delle Scritture mediante lo studio e la preghiera».

Ho la sensazione che Anthony De Mello e il suo lavoro siano adesso più importanti di quanto non lo siano stati in passato perché – almeno in Irlanda – un numero sempre maggiore di persone sostiene che l'istituzione della Chiesa manchi in certo qual modo di sentimento e vitalità. I metodi usati dalla

Chiesa istituzionale per cercare di condurle a Dio sembrano meno soddisfacenti che mai. L'abbeveratoio spirituale che le ha nutrite e dissetate in passato sembra non essere più sufficiente. Anthony De Mello lo intuì come un fenomeno mondiale e agì di conseguenza al fine di ripristinarne la vitalità. Coloro che usano i suoi suggerimenti per la preghiera e che parlano apertamente della propria pratica religiosa asseriscono di trovare nella sua saggezza e spiritualità una fonte di vita e di spirito. Dicono ciò proprio mentre presentono che la fiamma della loro fede è più debole e meno calda che in passato. Sanno che egli poneva con regolarità la difficile domanda e capiscono perfettamente che alle istituzioni gerarchiche della Chiesa questo possa non essere piaciuto. A questo proposito, sarebbe forse più saggio farsi guidare dalla prefazione agli *Esercizi spirituali* di sant'Ignazio di Loyola, in cui il santo raccomanda a ogni buon cristiano di essere più pronto a dare un significato positivo al dubbio espresso da un altro, piuttosto che condannarlo. È probabilmente ciò che si dovrebbe fare nei riguardi di Anthony De Mello.

Alla fine di ogni capitolo, presento alcune esercitazioni di preghiera, meditazioni ed esercizi di fantasia.

I consigli che seguono possono tornare utili:

• Ti sarà utile scegliere per la preghiera una stanza tranquilla.

• Scegli un'ora che vada bene per te, possibilmente sempre la stessa ogni giorno.

• Non mangiare subito prima della meditazione.

• Uno stomaco pieno non porta alla calma e alla meditazione.

- Molti trovano utile una luce smorzata.
- Siedi in una posizione comoda.
- Cerca di non uscire dalla meditazione troppo in fretta.
- Man mano che ti avvicini alla fine della meditazione, è consigliabile restare seduto a occhi chiusi e permettere alla mente di tornare ai pensieri di tutti i giorni. Dopo un paio di minuti, durante i quali starai semplicemente seduto, apri gli occhi molto lentamente.
- Qualsiasi pensiero penetri nella tua mente, pensa a esso come a una nuvola che si muove nel cielo. Non cercare di spingere via le nuvole. Limitati a osservarle mentre vanno e vengono.
- Se ti accorgi che la tua mente si è allontanata dall'argomento su cui ti stai concentrando, riportala con calma indietro al qui e ora. Non sforzarti. Riporta indietro la mente lentamente e con dolcezza.
- Raccomando che, se per qualche ragione trovi una delle meditazioni o tecniche descritte qui in qualche modo spiacevole, permetti gentilmente a te stesso di metterla da parte. In futuro, potrai fare un altro tentativo con la meditazione o stile di preghiera che non ti piace adesso, per vedere se ti può essere utile in un'altra situazione. È importante che tu ti senta pronto. Ricorda le parole di Shakespeare: «La maturità è tutto».
- Se non ricordi cosa devi fare durante la meditazione, prova a chiedere a un amico di leggerti la meditazione, può anche essere utile registrare su nastro alcune meditazioni contenute in questo libro, in modo da poterle eseguire al ritmo che preferisci e

al momento per te più opportuno. Se usi una registrazione, fai attenzione a lasciare degli intervalli di tempo appropriati fra le varie istruzioni o commenti, in modo da avere il tempo sufficiente a prendere in considerazione i temi e le domande che verranno certamente alla luce.

- Per iniziare ogni meditazione o preghiera di fantasia, usa uno degli esercizi di preparazione proposti. L'esercizio sulla consapevolezza del respiro è quello in genere più usato ma, come variazione, si possono usare anche un esercizio sulla consapevolezza del corpo o un altro sulla consapevolezza del suono.

Esercizio preparatorio sul respiro

Meditazione

Chiudi gli occhi e comincia a respirare in modo leggermente più profondo del solito. Spingi il respiro giù fino al diaframma e allo stomaco. Fai ora uso dell'immaginazione e visualizza il tuo respiro che si muove in diverse parti del corpo. Io immagino spesso di essere circondato da una nebbia gialla oppure dall'alito o dal fuoco dello Spirito Santo. Prova anche tu e lascia che la nebbia ti entri nel corpo attraverso le narici, giù fino alla gola, e da qui fino alle spalle, per giungere alle braccia, e giù fino alla punta delle dita. Lascia adesso che la nebbia riempia la zona del petto, giri intorno alla spina dorsale e si spinga giù fino in fondo allo stomaco. Immagina questo mentre inspiri e quindi, man mano che cominci a far fluire lentamente il respiro fuori dal corpo, immagina che ne escano anche tutti i problemi e le tensioni. Vengono lasciati defluire come se tu aprissi una valvola ed eliminassi la tensione. In questo modo, mentre inspiri speri di far entrare in te lo Spirito di Dio unitamente a un senso di pace e tranquillità e, mentre espiri, ti auguri che ogni tensione, problema, preoccupazione o ansietà possano venire eliminati con il defluire del respiro. Con questo esercizio cominci a fare due cose. Per prima cosa, fai uso dell'immaginazione al fine di agire sul corpo poiché il tuo respiro, in effetti, non va realmente giù fino alle dita dei piedi, ma puoi immaginare che lo faccia. Inizia poi ad abituarti all'idea che puoi spostare la tua consapevolezza attraverso le varie parti del corpo. Comincerai così a prendere il controllo della tua consapevolezza, riuscendo a fissarla dove vuoi.

Ascoltare i suoni

Ho passato parecchie estati lavorando come volontario a Calcutta. Là, ogni sera, fra le sei e le sette, molti aiutanti si recano alla fondazione di Madre Teresa per una tranquilla ora di preghiera. Si raggruppano in una grande stanza che ha una fila di finestre da un lato e che è situata di fronte alla strada. Poiché fa caldo, le finestre restano sempre aperte e il frastuono che si sente è indescrivibile. Dalla strada proviene ogni sorta di rumore. La gente grida, gli animali rumoreggiano, automobili suonano il clacson e un'altra dozzina di rumori si mescolano in questa confusione. Sulle prime l'effetto è soffocante.

Dopo un po', tuttavia, le sorelle iniziano un canto di preghiera dolce e ritmato di modo che, dopo qualche minuto, sembra che tutti i suoni svaniscano nello sfondo. Se mi servo di un esercizio del tipo "consapevolezza del suono", questa è l'immagine che tengo a mente.

Per iniziare, siedi tranquillamente e mettiti comodo. Chiudi gli occhi e semplicemente ascolta tutti i suoni che puoi sentire al di fuori della tua stanza. Tutto ciò che devi fare è essere consapevole. Ascolta il silenzio che c'è dietro ogni rumore. Lascia che i suoni calmino la tua mente. Dopo circa un minuto, riporta la consapevolezza dentro la stanza. Cerca di captare ogni suono che è possibile sentire all'interno della stanza. Fa' in modo che i suoni all'esterno scivolino via nello sfondo. Ascolta soltanto i suoni all'interno della stanza. Puoi forse sentire altre persone che si muovono sulle sedie? Può darsi che la tua attenzione sia attirata dal rumore degli scricchiolii. Spingi adesso la tua consapevolezza ancora più all'interno. Cerca di afferrare il suono del tuo respiro mentre inspiri l'aria. Puoi percepire il leggero senso di freddo nelle narici mentre l'aria passa all'interno? Ora rilassati, chiudi gli occhi e spostati all'interno di te stesso. Mentre inspiri, conta lentamente fino a quattro. Fa' questo silenziosamente. Quando inspiri, chiedi che ti venga donata la pace che desideri. Nell'espirare, conta nuovamente fino a quattro, seguendo lo stesso lento ritmo. Augurati che la tua espirazione porti via ogni tensione che è in te.

L'intero esercizio dovrebbe durare circa sei minuti all'inizio della preghiera. Indossa abiti che non siano stretti. Siediti o mettiti in una posizione comoda. Non assumere posizioni scomposte. Coloro che siedono scompostamente o si distraggono non possono essere né concentrati né vigili. Qualunque sia la posizione che assumi, è necessario che tu sia comodo, fermo e in equilibrio.

Esercizio preparatorio per la consapevolezza del corpo

In un corso sulla preghiera condotto da Anthony De Mello a Fujisawa City, in Giappone, fu presentato un esercizio la cui prima parte funziona bene come introduzione a qualsiasi meditazione «stile fantasia» contenuta in questo libro.

Inizia a rilassarti. Diventa conscio del tuo corpo e di come ti senti oggi. Comincia con le parti su cui ti è più facile concentrarti, poi passa alle altre. In pochi mesi un numero sempre maggiore di parti sarà sensibile a ogni tipo di sensazione.

Lo scopo dell'esercizio è quello di diventare consapevoli di tutte le parti del corpo, dalla testa alla punta dei piedi. Se possibile, fissa la tua consapevolezza in primo luogo sulla testa. Vedi se riesci a percepire qualche sensazione sul cuoio capelluto. Puoi forse percepire un leggero pizzicore?

Adesso sposta la tua attenzione sulla fronte e sul volto. Sei conscio di qualche sensazione sul tuo viso?

Dapprima sarai diffidente e pochissime sensazioni ti parranno percepibili. Poi, con pazienza e pratica, comincerai a sentire qualcosa in queste zone.

Sposta adesso l'attenzione ancora più giù nel tuo corpo. Cerca di percepire qualche sensazione nel collo e nelle spalle. Non cercare niente di sensazionale.

Sappi che molta tensione è immagazzinata nella zona delle spalle, perciò cerca di diventarne consapevole.

Quando ti senti pronto, fa' sì che la tua attenzione si sposti verso il basso. Falla muovere attraverso le varie zone e nota qualsiasi vibrazione che riesci a percepire. Prendi coscienza del tuo petto, dello stomaco, dei glutei, delle gambe. Concentra ora l'attenzione sui piedi, che devono essere ben piantati sul pavimento. Se lo desideri, ripeti ancora una volta lo stesso percorso dalla testa ai piedi. Vedi se riesci a percepire nuove sensazioni.

Termina l'esercizio.

Nota per coloro che guidano un gruppo di meditazione

Come guida del gruppo, la tua preparazione è particolarmente importante se vuoi raggiungere un buon risultato. Quando lavoro con gruppi di studenti, sono convinto che se la meditazione non prende quota è perché non ho preparato bene il gruppo oppure me stesso. Fai tu stesso la meditazione prima di farla fare al gruppo. Ciò ti aiuterà a sentirti più a tuo agio con l'argomento e con il contenuto. Di tanto in tanto, prima di iniziare, si renderà necessario fare un ripasso dottrinale con il gruppo. Se farai tu per primo la meditazione, ti renderai conto se questo ripasso è necessario o meno.

Un gesuita di mia conoscenza ha detto che, dopo cinquant'anni trascorsi nella Compagnia di Gesù e dopo innumerevoli sessioni di preghiera con gruppi, è convinto sia indispensabile conoscere il materiale che si sta per presentare, e conoscerlo anche al contrario. Egli si sorprende a chiedersi, prima della preghiera, se crede veramente che Dio possa comunicare con lui. Se è così, quale saggezza può volergli impartire Dio? Chiede quindi ai membri del gruppo se credono che Dio sia presente e, se la risposta è affermativa, chiedi se sono preparati a creare dentro di sé il silenzio dell'anima. Sottolinea che Dio opera quando intorno all'anima c'è silenzio, ma che ci vuole del tempo per creare questa aura di silenzio. Procederà solo quando sente che le condizioni sono ottimali.

Esercizio Uno

Usa il ritmo del respiro per pregare

Questo esercizio stabilisce il ritmo della respirazione e ti aiuta nella preparazione della sessione di meditazione. Nel corso dei suoi seminari di preghiera, Anthony De Mello spiegava, talvolta, che non si deve cambiare il proprio modo di respirare, ma lo si deve mantenere regolare. Impiega quattro secondi circa per inspirare e quattro secondi per espirare. Prova questo ritmo e vedi se va bene per te.

In primo luogo siediti, stai in piedi o sdraiato con la schiena dritta. Respira attraverso le narici inalando lentamente, regolarmente e profondamente. A ogni respiro, inspira profondamente e lentamente, inviando l'aria giù fino alla parte più bassa dell'addome, in modo da sentirlo espandersi, se posi la mano sull'ombelico. Espira quindi lentamente, attraverso la parte centrale dei polmoni. Completa il ciclo del respiro lasciando uscire l'aria dalla parte superiore del torace e poi dalla bocca. Il movimento deve essere dolce e fluido. Non fare sforzi e non stare in tensione. Per inspirare si impiegano in genere circa quattro secondi, e lo stesso avviene per espirare, con una brevissima pausa fra inspirazione ed espirazione.

Adesso rilassati.

Mentre inspiri, ripeti la frase: «Gesù, ricordati di me» lentamente e con convinzione. Nell'espirare completa con la frase «quando giungerai nel tuo Regno», alla stessa velocità. Ripeti questo esercizio circa otto volte, finché senti stabilirsi un ritmo e senti nascere una sensazione di rilassamento. Mettiti alla presenza di Cristo. Dopo poco, dovresti essere in grado di fare questo esercizio con una certa facilità. La prima metà dell'esercizio – la formazione di uno schema di respirazione lenta – può venire usato come una forma di introduzione a molti degli esercizi di preghiera descritti in questo libro.

Esercizio Due

Mantra del respiro

Considera la frase: «Nelle tue mani, Signore, affido il mio spirito», e usala come un mantra. Mentre inspiri di': «Nelle tue mani, Signore», e fai in modo che il respiro corrisponda alla velocità con cui pronunci la frase. Mentre espiri, focalizza l'attenzione sull'esalazione e fai corrispondere la seconda parte della frase, «affido il mio spirito», al ritmo naturale dell'espirazione. Unisci infine ritmicamente le due parti della frase mentre inspiri ed espiri. Fa' in modo che la frase penetri in te lentamente, come se dell'acqua stesse impregnando un terreno arido e roccioso.

Esercizio Tre

Vangelo di san Luca

(Lc 15,8-10)

La parabola della dramma ritrovata

La preghiera immaginativa ispirata alle Scritture ha una lunga tradizione. Nel XVI secolo, sant'Ignazio di Loyola si è servito di questo metodo per la sua "composizione del luogo" negli *Esercizi spirituali*. Consigliava ai suoi seguaci di leggere prima la storia, poi di fissarsi nella mente un'immagine della stessa, e solo allora di estrarre dalla storia i punti particolari su cui desideravano concentrarsi.

Se guidi un gruppo in una qualsiasi delle storie del Vangelo contenute in questo libro, cerca per prima cosa di leggere la storia ai partecipanti. Dopo averli preparati con uno degli esercizi preliminari come l'esercizio per la respirazione, incoraggia tutti i membri del gruppo a creare la storia nella loro immaginazione, come se stessero vedendo il fatto sul video. Aiutali a usare tutti i sensi per dare vita all'episodio. Possono immaginare in che tipo di giornata l'evento ha avuto luogo, che tipo di gente c'era nella storia, cosa indossava, che rumori e che odori si percepivano, e così via. Sant'Ignazio era convinto che questo metodo di preghiera potesse condurre una persona dall'esperienza alla comprensione.

Perciò, prima leggi la storia.

O quale donna, se ha dieci dramme e ne perde una, non accende la lucerna e spazza la casa e cerca attentamente finché non la ritrova? E dopo averla trovata, chiama le amiche e le vicine, dicendo: «Rallegratevi con me, perché ho ritrovato la dramma che avevo perduta». Così, io vi dico, c'è gioia davanti agli angeli di Dio per un solo peccatore che si converte.

Comincia adesso a immaginare te stesso in questa scena. Immagina la donna che ha perduto il suo tesoro. È di certo agitata per la perdita, e sarà grata per l'assistenza che potrai offrirle nella ricerca. Osservala mentre inizia la sua ispezione. Ha ciò che le serve, ad esempio una scopa e una lanterna per esaminare ogni angolo oscuro? Ha detto quando ricorda di aver visto la moneta per l'ultima volta, oppure sta cercando nei soliti posti? Osserva le altre persone che ha chiamato per aiutarla a cercare. Dopo un po' una delle amiche le chiede esattamente in che posto ricorda di aver visto la dramma e da che punto preciso dovrebbero iniziare le ricerche. A volte la gente cerca dove c'è più luce, e non dove è più probabile che il tesoro sia stato perduto. È così anche in questa storia?

Cerca adesso di prendere parte alla storia e chiediti di cosa sei andato in cerca negli ultimi mesi. Hai cercato nel posto giusto? Hai chiesto l'aiuto degli altri, quando era possibile? Se si è trattato di una ricerca spirituale, ricorda le parole della Scrittura: «Cerca il Signore dove puoi trovarlo», e anche: «Chiedi e ti sarà dato, cerca e troverai, bussa e ti verrà aperto».

Prega per ottenere il coraggio di metterti alla ricerca di ciò che desideri. Ricorda che devi avere la volontà di perseguire ciò che cerchi. A volte ci poniamo dei traguardi senza esserne convinti, perché può darsi che ci sentiamo più a nostro agio nel processo di ricerca che non nell'ottenimento di ciò che cerchiamo. Parla a te stesso e a Dio in maniera positiva e credi che riceverai ciò che chiedi.

Esercizio Quattro

Vangelo di san Luca

(Lc 18, 10-14)

Il fariseo e il pubblicano

Due uomini salirono al tempio a pregare: uno era fariseo e l'altro pubblicano. Il fariseo, stando in piedi, pregava così tra sé: O Dio, ti ringrazio che non sono come gli altri uomini, ladri, ingiusti, adulteri, e neppure come questo pubblicano. Digiuno due volte la settimana e pago le decime di quanto possiedo. Il pubblicano, fermatosi a distanza, non osava nemmeno alzare gli occhi al cielo, ma si batteva il petto dicendo: O Dio, abbi pietà di me peccatore!

Io vi dico: questi tornò a casa sua giustificato, a differenza dell'altro, perché chi si esalta sarà umiliato e chi si umilia sarà esaltato.

Siediti comodamente, da solo, in una stanza tranquilla. Mentre inizi l'esercizio, cerca di percepire qualsiasi suono sia possibile sentire al di fuori della stanza. Cerca di distinguere i diversi elementi all'interno del suono generale. Forse puoi udire il vento, o un uccello, o il traffico della strada. Dopo qualche istante, concentrati sull'interno della stanza. Ascolta qualsiasi suono tu possa captare qui dentro. Dopo un po', conduci l'attenzione ancora più all'interno. Senti la freschezza dell'aria che ti entra nelle narici. Sii conscio dell'aria fresca mentre entra nei polmoni.

Leggi adesso la storia del Vangelo sul fariseo e il pubblicano. Poniti le seguenti domande:

Perché Gesù ha raccontato questa parabola? Che tipo di persone sperava di colpire con questa storia? Se guardo me stesso, mi vedo come il fariseo o come il pubblicano della storia? Guardo gli altri dall'alto in basso? Se è così, quando e perché? Chi guardo di preferenza dall'alto in basso?

Metti un nome o un volto nella frase: Dio, ti ringrazio perché non sono come... Domandati: dove e quando mi sono comportato come il fariseo? Ho mai fatto una preghiera come quella del pubblicano? C'è niente nella mia vita che dovrei cambiare come risultato della meditazione su questa parabola?

C'è nessuno che devo perdonare? Quale cambiamento Dio mi chiede di operare nella mia vita, dopo aver letto questa parabola?

Chiedi a Dio come puoi fare un passo verso il cambiamento che desideri. Decidi quando effettuerai questo primo passo.

Quando ti senti pronto a concludere la preghiera, ritrova la consapevolezza del respiro. Ascoltalo mentre entra nel tuo corpo. Lascia adesso che la tua consapevolezza fluttui fuori di te e ascolta i suoni nella stanza. Fissa infine la tua attenzione sull'esterno e ascolta i suoni al di fuori della stanza.

Concludi la meditazione con calma.

2
CONOSCERE SE STESSI PER CONOSCERE IL MONDO

Non è cambiato niente all'infuori del mio atteggiamento, e tutto è cambiato.

Anthony De Mello

La tranquillità è una gran cosa. È un qualcosa che oggi non è tenuto molto in considerazione. Sembra che siano più di moda l'azione e l'attivismo. Se tuttavia guardi a te stesso, devi di tanto in tanto fermarti se vuoi sentire ciò che succede dentro e fuori di te. Come insegnano gli antichi filosofi greci: «Conosci te stesso e conoscerai l'universo». In altro modo, nella Sacra Scrittura, si legge: «Resta fermo, e sappi che sono Dio». Nella terminologia moderna, queste parole potrebbero essere grossolanamente tradotte: «Siediti, stai zitto e ascolta».

Il silenzio è una forma di disciplina. È difficile imparare a vivere senza sale in zucca, per non parlare del rumore e delle distrazioni. Anche se, come i Padri del deserto, ci nascondessimo in un luogo ritirato, ci porteremmo dietro – e dovremmo affrontare – la confusione, il clamore, il frastuono della vita moderna. In questo secondo capitolo esamineremo la preghiera e il modo in cui questa ci può rasserenare. Come possiamo essere aiutati nella ricerca del silenzio?

In India, si paragona spesso lo stato della nostra mente moderna a un albero pieno di scimmie chiacchierone. Le scimmie, dicono, saltano di continuo da un ramo all'altro in uno stato di costante eccitamento e di rumore incessante. Come riflesso della cultura odierna, esse possono esserne un'immagine e presentano un quadro che è così vicino alla realtà da farci sentire a disagio. Anthony De Mello, nei suoi seminari di preghiera, cercava di far raggiungere ai partecipanti uno stato di quiete mentale.

Pensa all'essere interiore come una fossa di acqua fangosa. Finché c'è movimento, in essa non ci può essere chiarezza. Tuttavia, se si lascia sedimentare l'acqua fangosa, ecco che comincia a schiarirsi. Lo stesso avviene per la parte più profonda del nostro essere. Prima della meditazione, facciamo il possibile per creare un momento di pace.

Il tipo di preghiera che stiamo descrivendo non è qualcosa in cui gettarsi a capofitto. Passa qualche momento a rilassarti. Mentre ti prepari, cerca di smettere di ascoltare qualsiasi suono, a eccezione di ciò che potrebbe venire dalla tua interiorità.

Il modo in cui cominci la preghiera è importantissimo in quanto dà l'intonazione a ciò che seguirà. Mi ricordo di un famoso domatore di leoni al quale, alla fine della sua carriera, fu chiesto come avesse potuto condurre la sua pericolosissima esibizione nel circo senza riportarne alcun danno. La sua specialità era mettere la testa nella bocca del leone. Ed egli raccontò come, ogni sera, mettesse la testa nella bocca della sua leonessa preferita di fronte al pubblico. Tuttavia, l'esibizione non aveva inizio senza aver prima preso alcune precauzioni. Entrando in pista, ogni sera, rivolgeva qualche parola al pubblico, spiegando cosa stava per fare. Contemporaneamente cominciava a parlare a bassa voce ai leoni in gabbia. Parlava anzitutto alla sua leonessa preferita, chiedendole di assuefarsi all'atmosfera della serata. Mentre le diceva questo, l'accarezzava sul posteriore e attendeva il suo ringhio di risposta. Successivamente le chiedeva se quella sera sarebbe stato saggio mettere la testa nella sua bocca. Nel chiederle questo l'accarezzava dolcemente sulla spalla, ricevendone un ringhio di risposta. Infine, accarezzando gentilmente l'animale sulla testa, chiedeva alla leonessa se credeva che il pubblico presente meritasse di assistere a ciò che stavano per presentare. Ancora una volta restava in attesa del ringhio di risposta della leonessa e, spiegò il domatore, a seconda del tono dei ringhi che aveva ricevuto, decideva se quella sera era il caso di mettere la testa nella sua bocca.

Secondo me qui c'è in gioco una questione molto importante. La leonessa, e non il domatore, aveva ogni sera l'ultima parola sull'eventuale esecuzione della rappresentazione.

Una guida saggia di un gruppo di preghiera può imparare qualcosa da questa storia. Prima di iniziare la meditazione o la preghiera è cosa sensata, si fa per dire, carezzare la testa del leone. In altre parole, è necessario controllare in che stato d'animo è il gruppo prima di dare il via alla preghiera. Si deve esaminare l'atmosfera all'interno di ogni gruppo di preghiera con cui si lavora e, se necessario, plasmarlo fino a ottenere il risultato desiderato.

L'atmosfera

Pensiamo spesso che il silenzio sia un requisito indispensabile per la meditazione e che un ambiente tranquillo sia essenziale. Il nostro scopo è raggiungere la pace interiore. Tuttavia, la quiete esteriore è qualcosa a cui molti membri del nostro gruppo non sono abituati. Un'atmosfera troppo quieta e seriosa, infatti, potrebbe spaventarli. L'esperienza suggerisce che, quando si lavora con gruppi di giovani, una suadente musica da meditazione in sottofondo può realmente aiutarli, a condizione che non sia inopportuna. Negli ultimi anni, sono stati immessi sul mercato parecchi dischi e nastri creati proprio per dare un sottofondo alla preghiera e alla meditazione. Ho incluso i titoli di alcuni di questi nastri alla fine del libro e starà a te decidere se trovi questa musica più o meno utile. A me sembra che una musica non invadente costituisca una sorta di impalcatura mobile per i partecipanti e che aiuti lo spirito di pace e di riflessione a fare il proprio lavoro. Benché abbia trovato che alcuni di questi nastri di riflessione e meditazione siano estremamente utili, altri tendono a distrarre piuttosto che aiutare. La qualità e l'effetto ottenuti variano enormemente. Provali per un po' e in breve tempo scoprirai ciò che aiuta e ciò che è di ostacolo. Sarebbe bene che tu controllassi i molti nastri indicati alla fine del libro prima di iniziare a lavorare con un gruppo per scoprire quello che si adatta meglio a te o ai partecipanti con cui lavori. A volte – con gruppi di persone più mature – il silenzio assoluto può essere il sottofondo più efficace per la preghiera. Ma non considerare questo una verità assoluta.

Creare l'ambiente giusto è essenziale. Il luogo che scegli per la preghiera deve essere piacevole e pulito. In genere, è utile avere una luce soffusa. A volte, lo spazio per la preghiera può essere reso sacro dalla luce naturale. Puoi creare la tua oasi di calma e serenità con della musica, la luce di una candela, dei cuscini, degli oli profumati o dell'incenso. Usa quello che hai a disposizione. Non sarà mai perfetto ma sarà sufficiente. Non farti sviare da rumori circostanti o da qualsiasi cosa possa distrarti. Non tutti i luoghi di preghiera sono ideali ma, con un piccolo sforzo, è in genere possibile diminuire l'impatto di un rumore indesiderato e amalgamarlo con il sottofondo.

Voglio rivolgermi ora un momento a coloro che intendono guidare gruppi di preghiera o di meditazione. Uno dei vantaggi della meditazione di gruppo è che parte del lavoro viene fatta al posto tuo. La guida sceglie l'argomento, il ritmo e le questioni su cui riflettere. Ciò rende tutto più facile per i partecipanti. Molti sostengono che essere guidati nella preghiera aiuta enormemente. Il fatto che non siano loro a condurre la meditazione, gli permette di non perdere la concentrazione. Allo stesso modo, il loro inconscio non è distratto. Riescono a pensare con comodo a ogni particolare o a qualsiasi problema venga loro in mente. Se ti è difficile mantenere viva l'attenzione durante una meditazione, chiedi a un amico di leggerti la meditazione, oppure registra su nastro alcune delle meditazioni contenute in questo libro. In tal modo potrai eseguirle alla velocità che preferisci, e quando più ti piace. Se usi questo metodo, assicurati di lasciare degli intervalli appropriati fra le istruzioni o i commenti, in modo che ci sia tempo sufficiente per riflettere sugli argomenti e sulle domande che certamente emergeranno.

Anthony De Mello ha una sua serie di cassette intitolata *Sadhana* e un'altra intitolata *Wellsprings* (Alle sorgenti), che sono degli ottimi esempi di come delle meditazioni registrate possano essere di aiuto.

Ogni tanto, quando ci si accinge a lavorare con un gruppo di meditazione, è necessario avere un secondo punto di riferimento, come dire un paracadute di riserva. Se sto lavorando con un gruppo che non conosco molto bene, cerco di avere del materiale di riserva da usare, oltre alla meditazione che ho in mente di presentare. Ciò significa che posso decidere fin dai primi momenti della sessione se passare o meno alla meditazione, a seconda che i partecipanti mi sembrino pronti o meno per tale esperienza. Cerco di non lavorare mai con partecipanti che non vogliono seguire sul serio le varie fasi. A volte può capitare, specialmente se si lavora con gruppi di giovani, che durante la fase introduttiva si abbia l'impressione che il gruppo – o alcuni degli elementi all'interno di esso – non siano pronti a intraprendere l'esperienza meditativa. Di norma, comincio una sessione parlando con calma del processo e assicurandomi, per quanto possibile, che i partecipanti desiderino far parte dell'esperienza. Se ricevo dei segnali contrari da alcuni di loro, oppure se ho la sensazione che non siano del tutto pronti, passo da un'esperienza di preghiera interiorizzata a un qualcosa di leggermente più generale o di meno impegnativo. In altre parole, rinuncio alla meditazione che avevo programmato prima ancora di averla iniziata.

Per esperienza, non succede spesso che i gruppi perdano seriamente la concentrazione durante una sessione di preghiera. Se succede, è generalmente a causa di un errore commesso da me. Non ho preparato a sufficienza il terreno. Sono passato alla meditazione sentendo nell'intimo che il gruppo non era pronto per affrontarla. Anthony De Mello usava dire che non si dovrebbe cercare di insegnare a cantare a un maiale. Ciò frustra te, e irrita il maiale. Per essere realistici, si deve a volte accettare che alcuni gruppi – specialmente se formati da giovani – non siano pronti per l'esperienza meditativa.

Quando hai a che fare con gruppi di giovani, puoi iniziare spiegando che, per la riuscita della sessione, sarà utile chiudere gli occhi e concentrarsi sul respiro. Questo sembra abbastanza semplice ma, se sono capaci di fare una profonda inspirazione e un'espirazione altrettanto profonda – senza distrarsi, senza aprire gli occhi, senza far rumore o senza divagare con la mente – se la cavano meglio di molti di noi. Se sono simili alla gran parte degli uomini e delle donne, avranno un sacco di pensieri nella testa perfino durante un'unica inspirazione ed espirazione.

Lavorando con gruppi di studenti, ho notato che i giovani irlandesi traggono beneficio concentrandosi sulla lunghezza della respirazione, mentre contano lentamente ma regolarmente il numero dei respiri. Di norma, mentre si inspira, si conta lentamente fino a quattro. Mentre si espira, si ripete il processo contando di nuovo lentamente fino a quattro. Nel fare questo, i partecipanti dovrebbero cercare di restare immobili e rilassarsi completamente. Se stai per passare a una meditazione di "fantasia", può essere utile creare nella mente l'immagine di una botola. Mentre dai il via alla sessione, apri la botola e comincia a scendere respirando tranquillamente, mentre scendi un gradino alla volta, immaginando di entrare sempre più in profondità all'interno di te stesso. Alla fine della meditazione, risali gli scalini dal profondo del tuo essere fino a emergere dalla botola nello spazio sovrastante.

Un'altra possibilità è immaginare di esplorare un antico castello con all'interno tanti tipi di stanze, passaggi e porte. Mentre inizi la meditazione, ti sposti attraverso questo castello finché giungi a una porta. Sopra c'è scritto il tuo nome. Quando la apri, trovi una scala a chiocciola che conduce verso il basso. Comincia a scendere e usa tutti i tuoi sensi per visualizzare chiaramente la scena. Spesso questo aiuta i partecipanti a entrare nel profondo di se stessi, perché il castello rappresenta la persona nella sua completezza. Alla fine della meditazione, fai il processo inverso risalendo gli scalini, ripassando dalla porta con il tuo nome, e quindi fuori del castello fino al luogo da dove hai iniziato la meditazione.

Man mano che ti avvicini alla fine della meditazione, è bene che tu ricordi agli studenti che non devono concludere la meditazione troppo in fretta, poiché ciò potrebbe avere un effetto spiacevolmente stonato. Dovrebbero piuttosto riposare tranquillamente per alcuni istanti per scaricarsi. Durante questo tempo possono muoversi dal luogo di pace e riflessione in cui sono stati per passare qualche momento in una specie di spazio di transizione, prima di ritornare al rumore e alla confusione della vita di ogni giorno. Ricorda loro un detto tibetano che avverte di non saltar su e precipitarsi fuori subito dopo la preghiera. Si dovrebbe amalgamare l'attenzione e la tranquillità alla vita di ogni giorno.

Anthony De Mello soleva dire che «il respiro di ognuno è l'amico più grande» durante la preghiera. Devo ammettere, però, che egli dava anche un severo avvertimento contro l'eccessivo uso degli esercizi di respirazione fine a se stessi. Secondo me la concentrazione sul respiro all'inizio di una sessione di preghiera può dare degli ottimi risultati. Anthony De Mello raccontava che, nei ritiri buddisti a cui partecipava, il guru o il maestro insisteva sul fatto che i partecipanti passassero gran parte del giorno concentrandosi sul controllo del respiro. All'inizio ciò può sembrare non molto importante. Tuttavia, da quando lavoro con i partecipanti ai ritiri, io stesso mi sono convinto sempre di più degli effetti benefici – senza contare l'aiuto fornito ai fini del rilassamento – che possono avere dei semplici esercizi di respirazione. All'inizio della gran parte degli esercizi di meditazione e di fantasia contenuti in questo libro, ho incluso una breve introduzione al controllo del respiro. Prova gli esercizi e vedi se sono di aiuto a te o al tuo gruppo.

Limitarsi a stare o a sedere immobili non è la stessa cosa che non fare niente. Stai allenando nuovamente la tua mente a essere, a lungo andare, più efficiente e creativa. Brevi periodi di quiete interiore ti rinfrescheranno la mente e il corpo. Il diavolo può certo trovare lavoro per le mani pigre, ma a Dio non sarà facile comunicare con noi se siamo sempre troppo occupati o stanchi per ascoltare.

Perciò, al fine di ottenere la calma interiore, comincia con il respirare in modo leggero e naturale. Non fare sforzi. Ti accorgerai che, semplicemente facendo attenzione al respiro, entrerai pian piano in uno stato di rilassamento sempre più profondo. Quando ciò accade, la mente si acquieta con naturalezza. Il cervello usufruisce di una ricca riserva di ossigeno per compiere il proprio lavoro con efficienza e, in questo modo, una respirazione profonda e regolare calma le emozioni e produce pace interiore. È utile iniziare con alcuni minuti di immobilità e poi, lentamente e ritmicamente, cercare di eliminare ogni tensione dal corpo, mentre acquieti la mente. Siediti comodamente e comincia a respirare un po' più profondamente del solito e fa' attenzione al rilassamento che ne consegue. Medita sul tuo respiro. Pensa per un momento all'aria che stai inalando e a come questa scorre al tuo interno. Continua con questa respirazione ritmica e percepisci come la parte superiore del tuo corpo si riempie d'aria. Inspira l'aria attraverso le narici e visualizzala mentre passa attraverso la gola. Continua a fare attenzione al respiro. Pensa per un momento all'aria all'interno del tuo corpo e a come viene assorbita per diventare parte di te. Pensa a come questo processo viene invertito quando espiri. Contempla il movimento ritmico e incessante dell'inspirazione e dell'espirazione.

Se hai letto il libro di Anthony De Mello *Sadhana*, sarai stato certamente colpito dagli esempi di fantasia e dall'immaginazione visiva da lui usati nel suo stile di preghiera. Puoi usare anche tu questo sistema. In questo processo sono spesso aiutato dall'immaginare che la stanza in cui mi trovo sia piena di una specie di nebbia colorata. Nella mia immaginazione vedo una nebbia di colore giallo entrarmi nel naso e nella gola. Sempre usando l'immaginazione, visualizzo questa nebbia gialla mentre passa attraverso il collo e da qui nella parte superiore del mio corpo. È come se avessi un corpo di vetro e potessi vedere la nebbia colorata che va giù fino alla zona toracica, gira intorno alla mia spina dorsale, da dove, infine, si fa strada fino in fondo allo stomaco. Se, a questo punto, metti la mano sull'ombelico, dovresti essere in grado di sentire l'aria che giunge in questa zona. Dovresti cogliere la sensazione di calma che invade il tuo essere mentre inspiri profondamente. Può essere utile immaginare che questa calma ti venga donata dal Signore e che scorra direttamente nel tuo essere. Assorbila. Mentre espiri dolcemente attraverso il naso o la bocca – a seconda di come preferisci – immagina che il tuo respiro, fuoriuscendo, si stia portando via ogni tensione, rabbia, stanchezza o preoccupazione da te vissute negli ultimi giorni. Continua questa respirazione lenta e ritmata, rendendo grazie a Dio per la pace che ti viene donata mentre inspiri. Al momento di espirare, chiedi che ogni problema che blocca o disturba la tua pace venga allontanato da te.

Un'altra immagine che alcuni trovano utile durante la respirazione è la seguente. Immagina di essere disteso supino per terra e immagina che un fiume di pace stia scorrendo verso di te. Questo fiume reca con sé tranquillità e scorre verso di te. Mentre inspiri, la serenità si avvicina sempre più. Il fiume scorre attraverso il tuo corpo diffondendo un senso di pace e di benessere e, mentre espiri, immagina che il fiume ti stia attraversando completamente. Scorre fuori attraverso le dita dei tuoi piedi portandosi via ogni residua stanchezza o sofferenza che possa essere rimasta in te. Alcuni minuti di questo esercizio di respirazione sono in genere rilassanti e benefici.

Metti ora un dito sul polso e diventa conscio della velocità del tuo respiro. Usa la frequenza del polso come guida e inspira contando lentamente fino a quattro. Fai seguire un'espirazione, alla stessa velocità e sempre contando fino a quattro. Nel praticare questo esercizio, noterai che la velocità della tua inspirazione si è considerevolmente rallentata, e questo spesso produce un effetto altamente calmante per la mente. Ora respira normalmente, mantenendo la mente concentrata sulla sensazione prodotta dall'aria che entra nel corpo. Osserva il tuo respiro. Continua a mantenere l'attenzione sul respiro. Focalizza solo il respiro. Mentre inspiri, chiedi a Dio di donarti la pace che desideri. A ogni espirazione, chiedi di poter eliminare sia ciò che ti impedisce di essere calmo sia ogni altra distrazione. In questo esercizio di respirazione i principianti trovano utile fare attenzione al ritmo della respirazione.

Il punto essenziale di questo metodo è molto semplice. Si presta un'attenzione costante al fluire del respiro mentre entra nel corpo e mentre ne esce. Quando ci accorgiamo che la nostra attenzione va divagando, la riportiamo con calma al respiro. Continuando così, ci accorgeremo di come la nostra concentrazione divenga più profonda e costante, mentre il vagabondare mentale diminuisce. Come il corpo si rilassa e diventa calmo, nella stessa misura la mente diviene controllata e composta, e intimamente soddisfatta.

Per un momento cerca di ripensare ad alcune delle cose migliori che ti possono aiutare nella meditazione. Nell'iniziare una sessione, assicurati di essere seduto comodamente. Siedi in silenzio per un po', cercando di rilassarti e sistemarti. Sperimenta la sensazione del tuo respiro. Conta ciascuna inspirazione ed espirazione. Sperimenta ora il fluire completo del ritmo del respiro. Porta il respiro, in modo profondo e regolare, giù fino al diaframma. Dopo un po' l'atto del respirare diventa appena percettibile. Metti la mano sull'ombelico e presta attenzione al movimento lento e profondo impresso dal ritmo del respiro, che invia l'aria direttamente in fondo allo stomaco. Ciò dovrebbe aiutarti a rilassarti.

Nella meditazione è essenziale sapersi rilassare e la nostra capacità di rilassamento può essere aiutata dal controllo della respirazione. La tensione è spesso associata a una mancanza di ossigeno. Per controbilanciare ciò, cerchiamo di respirare più profondamente di quanto non facciamo di regola, inalando più ossigeno perché esso dà al corpo la capacità di fare il suo lavoro con meno sforzo. Prova la respirazione profonda. Scoprirai che questa, di per se stessa, ti aiuta automaticamente a rilassarti. Se lavori con o se conduci un gruppo di preghiera, potrebbe rendersi necessario ricordare ai membri che non c'è niente di particolarmente difficile nelle istruzioni che impartisci loro. Devono semplicemente sedere in silenzio, chiudere gli occhi, inspirare ed espirare con regolarità, immaginando di far entrare in se stessi la pace di Cristo durante ciascuna inspirazione, e di far uscire tensioni e preoccupazioni durante l'espirazione. Benché ciò sembri facile, i membri di un gruppo devono imparare a farlo bene. Se non seguono le istruzioni alla lettera, è probabile che il risultato finale della sessione di preghiera e di meditazione sia meno soddisfacente di quanto sia essi, sia la guida del gruppo, avevano sperato.

Posizione

La posizione che adottiamo per la sessione di meditazione può aiutare od ostacolare le nostre possibilità di completare la preghiera con piena soddisfazione. Devi indossare degli abiti che non stringono, specialmente per la respirazione, e devi sedere o stare sdraiato in una posizione comoda. Tuttavia, quando si comincia a parlare della posizione o della tecnica migliore per la preghiera, ci troviamo di fronte a una sconcertante quantità di idee e consigli contrastanti circa il metodo da adottare. Alcuni esperti suggeriscono che la cosa migliore è sedersi a gambe incrociate nella posizione del loto o del semi-loto. Altri raccomandano di sedere dritti su una sedia dura e dallo schienale verticale. Altri ancora suggeriscono a chi si accinge a meditare di adottare la posizione prona, sdraiandosi su un divano, su un letto o sul pavimento. Questo, secondo loro, mantiene la schiena dritta e fa sì che la respirazione fluisca più facilmente. Negli *ashram* indiani, ho incontrato chi raccomanda degli sgabelli da preghiera o la posizione del loto. Ciò può essere difficile per gli occidentali. Lo stesso Anthony De Mello ha detto che può essere utile stare seduti durante la meditazione, ma che non è assolutamente indispensabile. Se si sta seduti, è preferibile usare una sedia dallo schienale dritto. La maggior parte degli esperti consigliano di tenere ambedue i piedi sul pavimento, gli occhi chiusi, le palme appoggiate sul grembo e voltate all'insù, e la testa sollevata come se una corda fosse attaccata alla parte superiore del cranio. Immagina che questa corda tiri in su la tua testa, facilitando così il fluire dell'aria nel tuo corpo. Il cervello funziona con più efficienza quando il cranio è sostenuto da una spina dorsale ben eretta e il corpo è calmo e rilassato. È per questo che alcuni maestri indiani suggeriscono di visualizzare il proprio corpo come se fosse una marionetta. Ciò significa che la spina dorsale è dritta, con il collo e la testa mantenuti in posizione eretta. La schiena dritta ci aiuta e rimanere vigili e a notare ciò che succede. Se lavori con un gruppo di ragazzi, potrai notare che purtroppo alcuni dei partecipanti più giovani si abbandonano sulla sedia, pensando che ciò li faccia essere più rilassati. Ciò comporta invece una perdita di attenzione e tende a favorire il sonno. Sembra che nessun consiglio a questo proposito produca grandi risultati con alcuni dei più giovani con cui lavoro. Benché io parli spesso agli studenti dell'importanza della posizione, essi ridono del consiglio e dicono di saperne di più. Essi sono attirati dalle posizioni e dalle pratiche più strane. Non è insolito per loro avvolgere gli arti inferiori intorno alle gambe della sedia su cui stanno seduti. Altre volte si piegano all'indietro sulla sedia formando gli angoli più strani. Io chiedo loro di guardare soltanto al risultato finale della posizione che hanno adottato e dire onestamente se ciò li ha davvero aiutati nella preghiera oppure no. Talvolta questo causa un cambiamento di posizione nella successiva sessione di meditazione, altre volte invece no. Quale che sia la posizione da te adottata, ciò che conta è che ti senta comodo, fermo e in equilibrio. La meditazione non deve essere un esame di resistenza. Anthony De Mello, durante uno dei seminari di preghiera da lui condotti in Giappone, disse ai partecipanti che è di grande aiuto essere rilassati nell'intraprendere la preghiera, perciò val la pena fare degli esperimenti per trovare la posizione più confacente per ognuno.

Si pone adesso la questione se è meglio tenere gli occhi aperti o chiusi durante la meditazione. Alcuni studenti vedono le aule come dei luoghi minacciosi.

Per altri chiudere gli occhi indica una perdita di controllo e diviene perciò un'esperienza che provoca ansia. In ogni modo, raccomando di incoraggiare, per quanto possibile, i membri del gruppo a chiudere gli occhi durante la meditazione, poiché ciò diminuisce la possibilità di distrazione. Cerca di far fare ai membri del gruppo una breve serie di esercizi preparatori per vedere fino a che punto sono in grado di seguire le suddette istruzioni.

Mettiti in posizione per la preghiera, sedendo su una sedia dallo schienale dritto. Posa le mani in grembo e chiudi gli occhi. Cerca di capire se sei conscio di ciò che si sta verificando dentro di te. Sei capace di distinguere dolori, malesseri o tensioni? Diventa adesso consapevole delle sensazioni del tuo corpo. Vedi se riesci a sentire l'aria che si muove dolcemente intorno al tuo viso. Se puoi, nota la sensazione degli abiti sulle spalle e sulla schiena. Diventa ora conscio della tua schiena che tocca la sedia. Sposta i punti di consapevolezza da una parte all'altra del tuo corpo. Sii totalmente presente a te stesso. Non ti sarà facile pregare finché non sarai capace di fare ciò. Quando Anthony De Mello faceva questo esercizio con il suo pubblico, in genere chiedeva se erano tutti consapevoli di ciò che succedeva nel proprio corpo. Molti non lo erano. James Joyce, il famoso scrittore irlandese, ha scritto una volta di uno dei suoi personaggi: «Mr. Duffy viveva a breve distanza dal suo corpo». Anthony De Mello sosteneva che molti di noi vivono nello stesso modo.

Può darsi che tu voglia provare una posizione abbastanza semplice che i buddisti adottano durante la preghiera. I monasteri buddisti spesso forniscono dei cuscini per la pratica della meditazione. Sono rotondi e compatti, alti circa 15 cm. Ti inginocchi a gambe divaricate, spingi il cuscino sotto di te e ti ci poni sopra a cavalcioni. Le ginocchia e gli stinchi poggiano sul pavimento, ai due lati del cuscino. I piedi sono rilassati e rivolti all'indietro. Questa posizione è molto simile a quella adottata dagli occidentali che usano lo sgabello da preghiera. Anche qui si poggiano le natiche sullo sgabello da preghiera e si fanno scivolare le gambe al di sotto di esso. Di norma lo sgabello da preghiera è fatto di legno, ha il sedile che pende in avanti e un'altezza dal pavimento di 15-18 cm. Per sedersi su uno sgabello da preghiera, ci si deve inginocchiare di fronte a esso, con gli stinchi per terra sotto lo sgabello. Ci si abbassa quindi sullo sgabello mantenendo la schiena dritta e si comincia a pregare. Una terza posizione che può essere utile è stendersi su un pavimento ricoperto da una calda moquette, tenendo un cuscino abbastanza duro sotto la testa. Il cuscino deve essere alto circa 7-8 cm. Tieni gambe e braccia ben dritte e non incrociate. Il fatto che tu stia sul pavimento permette alla schiena di restare dritta e alla respirazione di mantenersi regolare. Se usi questo metodo, devi stare attento a non addormentarti.

Alcuni chiedono se, durante la giornata, c'è un tempo particolarmente adatto per la preghiera. Gran parte dei libri di meditazione e degli autori non sono di molto aiuto. Esperti di ogni tipo hanno una diversità di opinioni su questo argomento simile a quella sulla posizione migliore da assumere per la preghiera. Ho incontrato alcuni che dicono che si dovrebbe meditare la mattina presto o la sera, ma mai di notte. D'altra parte Bonhoffer, il famoso teologo tedesco, considerava la notte come il tempo migliore per la preghiera.

E questo sembra dar ragione a coloro a cui piace pregare per qualche minuto prima di andare a letto. Alcuni scrittori di cui ho letto le opere sono propensi all'esperienza della preghiera notturna e raccomandano le ore più tarde della notte per la preghiera. Molti suggeriscono che il saggio praticante troverà tempo per la preghiera e per la meditazione prima che i pensieri e le preoccupazioni della giornata si approprino del suo tempo e del suo entusiasmo. Il defunto cardinale Basil Hume – di cui tengo in grande considerazione i consigli sulla preghiera – ha detto una volta: «Se la gente pregasse solo quando ne ha voglia, non pregherebbe quasi mai». Il consiglio più utile che si possa dare è forse questo: scegli il tempo che ti sembra più adatto e che può essere realisticamente inserito nella tua routine giornaliera e organizzati di conseguenza.

Distrazioni

Una volta iniziato il viaggio della meditazione, ci rendiamo conto quasi subito che è facile diventare preda delle distrazioni. I buddisti, come abbiamo visto, paragonano una mente non allenata a una scimmia chiacchierona che continua a saltare dal ramo di un albero all'altro. La scimmia non sta mai ferma. Non è un'immagine edificante, ma i buddisti asseriscono che la mente si comporta proprio così quando intraprende il cammino della meditazione. Se ti osservi durante i primi minuti di preghiera, sarai colpito nel vedere come i tuoi pensieri vaghino da una idea casuale a un'altra. Un detto tibetano afferma: «È molto difficile chiedere carne senza ossa, o tè senza foglie».

Finché possiedi una mente, avrai anche delle distrazioni, delle emozioni e idee passeggere che ti attraversano il cervello mentre stai pregando. Osserverai in breve tempo che la tua mente va costantemente vagando senza meta quando è tempo di pregare, ma questo è proprio ciò che la mente ha sempre fatto. L'unica differenza è che adesso ce ne rendiamo conto. Un proverbio indiano dice: «Non puoi far niente per liberarti dagli uccelli che ti volano intorno alla testa. Ma puoi evitare che ti facciano il nido nei capelli». Perciò comincia con l'osservare i tuoi pensieri, le percezioni e i movimenti interni. In questo modo comincerai a intuire cosa si verifica nel profondo di te stesso.

Durante la meditazione è necessario restare concentrati, un po' come un cane da pastore sulle colline. Il cane esperto ascolta solo le istruzioni che il padrone gli impartisce fischiando. Si concentra sul momento presente. Rifiuta di venire distratto da cose che non lo riguardano. È totalmente all'erta, con gli occhi attenti, le orecchie tese e tutti i sensi pronti a percepire qualsiasi movimento o messaggio. Risponde con rapidità a ogni segnale sensoriale. San Pietro dice: «È necessario che tu abbia il controllo di te stesso e che tu sia attento, se vuoi essere in grado di pregare». Se pensi che questa auto-osservazione e questo controllo si ottengano senza uno sforzo interiore, sei in errore. Nelle varie epoche i santi più importanti – scrivendo sulla preghiera – hanno parlato di quanto questo argomento sia difficile. La risposta di san Bernardo da Chiaravalle a coloro che gli chiedevano quanto spesso riuscisse a condurre a termine una meditazione senza interruzioni era: «Molto raramente». Santa Teresa d'Avila, un altro famoso dottore della Chiesa, quando qualcuna delle sue novizie le rivolgeva una domanda simile, rispondeva seccamente: «Cosa significa non essere disturbata da distrazioni e pensieri oziosi durante la preghiera? Non lo so. Cosa credete che io sia, una santa?».

Le distrazioni si presentano, ma cosa possiamo farci? Il modo migliore di reagire è in genere il seguente. Cerca di prestar loro poca attenzione. Indipendentemente dal fatto che siano la solita lista delle cose da fare, le emozioni, un flusso di attrazioni, oppure immagini sgradevoli, cerca semplicemente di ignorarle. Anche se sembrano intuizioni o rivelazioni sconvolgenti, è meglio lasciarle perdere. Ti si offre qui la scelta fra la riflessione su cosa sta succedendo nella tua vita e la perdita dell'esperienza. Se scegli la prima, scendi nel silenzio del tuo io profondo. Se tuttavia permetti alla tua attenzione di divagare e lasciarsi prendere dalle distrazioni circostanti, la tua tranquillità interna viene distrutta e devi ricominciare dall'inizio. In genere si deve ricominciare dall'inizio abbastanza spesso.

È utile ricordare che, quando ci accingiamo a pregare, la mente si comporta come un uccello in un campo, che becca e mangiucchia continuamente. È nostro compito assicurarci che, nel suo becchettare, la mente scelga in modo assennato. Quando chiesero a santa Teresa d'Avila un consiglio su come pregare e osservare la propria vita interiore, si narra abbia risposto di non richiedere alle sue novizie di pensare troppo profondamente all'argomento della meditazione. Voleva soltanto che guardassero se stesse e osservassero. Il famoso giocatore di baseball di New York, Yogi Berra, era solito dire che si può osservare moltissimo semplicemente guardandosi intorno.

Dalle sagge parole di santa Teresa d'Avila e di san Bernardo si può arguire che mettere a fuoco solo una cosa durante la preghiera non è facile come sembra. Studenti che parlano con sincerità ti diranno spesso che durante una sessione di preghiera o meditazione sono disturbati da attacchi di prurito, tic o confusione interiore, il che li allontana dalla preghiera. Questo accadrà certamente se non hanno iniziato la preghiera in modo risoluto. Alcuni scoprono di voler cambiare la posizione del corpo oppure si sentono prendere dal sonno. Altri dicono che, non appena iniziano la meditazione, liste di cose da fare si insinuano misteriosamente nella loro mente. Sembra che tutto sia preferibile al mettersi a confronto con il proprio io interiore. Cicerone scrisse: «Nessuno ti può consigliare meglio di te stesso», e ciò che stiamo cercando di fare qui è creare uno spazio dove Dio possa parlare alla parte più profonda di noi stessi.

Perfino i più esperti nella meditazione trovano che la mente spesso divaga. Quando questo succede, trattala come un cucciolo, diventando prima consapevole del fatto che sta divagando, e quindi riconducendola al suo compito. Quando diventi conscio delle distrazioni, parla loro dicendo: «Non interrompetemi adesso. Vi darò retta più tardi». Mantieni la promessa, perché può darsi che la distrazione stia cercando di dirti qualcosa. Quando chiesero a C.S. Lewis come si regolava con le distrazioni, rispose: «Ho un trucco. Per calmare la mia mente, le dò qualcosa da fare. Le chiedo, ad esempio, di contare, o di osservare il mio respiro, o le dò una breve preghiera da ripetere. Oppure le faccio compiere un giretto attraverso il mio corpo, invitandola a tenere d'occhio i miei arti, uno alla volta. Il trucco funziona. Con questi accorgimenti riesco a controllare la mente».

La maggior parte di noi ha bisogno di usare simili abili tecniche per superare le distrazioni. È fortunato colui che può contare su una sessione completa di meditazione senza essere interrotto da alcuna forma di distrazione. Non appena inizi, può darsi che tu noti improvvisamente che l'allarme di un'automobile ha smesso di suonare, senta bambini che piangono, clacson che fanno frastuono, telefoni che suonano e vicini che fanno un salto a trovarti. Non permettere che ciò ti distragga dal tuo compito.

Può essere d'aiuto il rimanere ben sveglio e consapevole fin dall'inizio. Ecco una strategia per sviluppare e incentivare la consapevolezza, che forse ti piacerebbe provare. Per una giornata, fra i pasti, cerca di captare il momento preciso in cui allunghi la mano per prendere qualcosa da mettere sotto i denti. Quello è il momento, proprio prima di buttar giù il cibo, in cui la mente ha già formulato l'intenzione di mangiare quello che hai di fronte. Proprio un attimo prima – e il momento è brevissimo – di accorgerti che sei tentato di mangiare, "ferma" l'immagine come se stessi girando un video casalingo. Solo il fatto di notare quel momento per una volta, ti metterà in grado di acquisire una maggiore consapevolezza. Se hai ancora voglia di fare lo spuntino, va bene. Fallo. Goditelo. Ma se, nel prenderne coscienza, ti accorgi di non volerlo veramente, rinunciaci.

Il passo successivo consiste nell'acutizzare i tuoi sensi osservando il tuo corpo e come sta funzionando in questo momento. Il corpo è uno strumento che ha l'abitudine di inviarti piccoli segnali, che ti dice quando sei stressato, o che ti avverte quando sei sopraffatto dalla tensione. Noti forse degli schemi di comportamento dentro di te, o dei periodi particolari dell'anno, in cui non ti senti bene o in cui la depressione ti fa sentire a terra? Può esserti utile, e contemporaneamente ti aiuta a rendere più ricettivi i sensi, osservare e diventare conscio del modo in cui reagisci a situazioni diverse che si manifestano nella tua vita. Questo significa osservare come reagisci alle situazioni che si verificano di solito nella tua routine giornaliera. Ti piacciono certe cose, oppure no? Quali esperienze ti tirano su e quali tendono a buttarti giù? Quali sono le pratiche o i passatempi che hanno un vero valore per te? Spesso è più facile capire queste parti di se stessi esaminando in retrospettiva ciò che è capitato ieri, la settimana, il mese, o l'anno scorso. Come ha fatto notare lo stesso sant'Ignazio di Loyola, è spesso più facile capire cosa succede nella propria vita ripensando agli alti e bassi del recente passato, piuttosto che cercare di comprendere tali sfumature guardando solo al presente.

Puoi fare ora un piccolo esercizio sull'autoconsapevolezza. Porta la tua consapevolezza in un luogo tranquillo e profondo dentro di te. Immagina di andare sempre più in profondità all'interno di te stesso finché raggiungi il luogo in cui risiede la saggezza. È come se tu preparassi un incontro con il tuo io profondo più saggio, o comunque con ciò che può farti da guida su come vivere la tua vita nel modo migliore. Se hai delle domande da fare alla tua guida interiore, falle. Con tutta tranquillità, resta disponibile alla ricezione di ciò che la parte più saggia di te stesso può offrire in risposta alla tua domanda. Tale risposta può manifestarsi a parole, sotto forma di immagini o come il lento apparire di un'idea.

Preparare una sessione di preghiera

È chiaro che, nella preghiera, c'è ben più del testo che viene usato. Si possono combinare diversi elementi in modo da rendere il tempo impiegato il più proficuo possibile. Ecco una breve lista di punti che potrebbero essere presi in considerazione prima di iniziare la preghiera. Studiandola, puoi dare a te stesso e al gruppo con cui è possibile tu stia lavorando una buona opportunità di far uso del tempo in modo utile. Pensa al luogo in cui stai per andare a pregare e cerca di trasformarlo in un luogo sacro. Per raggiungere il tuo scopo, fai uso di musica, letture, riflessioni, movimento, intercessioni e silenzio. Spera di poter pregare e riflettere su ciò che sta succedendo nella tua vita e su quando Dio è stato presente, per te. Può esserti di aiuto il ricordo delle parole di un professore di teologia, il quale era solito dire che l'azione di una persona durante la preghiera può essere paragonata alle abitudini mangerecce di una mucca. Dovremmo masticare il materiale proprio come la mucca rumina il suo cibo. Prendi una piccola parte della saggezza che ti viene presentata e rifletti finché non hai estratto tutta la bontà che c'è in essa. Forse non proprio tutta la bontà contenuta in quel particolare passaggio delle Scritture che stai esaminando, ma tutto ciò che c'è per te al momento presente.

Prima di iniziare la preghiera

Ciò che fai prima di pregare è molto importante. La fretta non aiuta a prepararsi per la preghiera. Concediti alcuni momenti per rilassarti. Mentre ti sistemi, cerca di estraniarti da ogni distrazione. Adesso scegli un breve passaggio delle Scritture. Leggilo alcune volte per familiarizzare con esso. Metti un segnalibro alla pagina prescelta. Cerca di trovare un luogo tranquillo in cui puoi restare solo. Quando una parola o una frase del brano ti colpisce, è tempo di fare una pausa. Dio ti parla attraverso la Scrittura. Non aver fretta di andare avanti. Aspetta finché non ti senti più commosso dall'esperienza. Non ti scoraggiare se sembra che non stia succedendo niente. Immagina come debba sentirsi scoraggiato Dio perché niente succede in te.

Riepilogando, arriva presto, concediti tutto il tempo necessario per preparare la stanza, assicurati che la sistemazione del riscaldamento, dell'illuminazione e della seduta sia appropriata. Tale sistemazione sarà utile o di ostacolo al gruppo durante la preghiera? Crea lo spazio sacro richiesto rendendo benedetto questo luogo. Fai ciò mettendo un crocifisso o una croce di Taizé in una posizione confacente. Usa delle candele e metti della musica adatta in sottofondo. Una volta iniziata la preghiera, abbi fiducia, non ti preoccupare e lascia che lo spirito si metta all'opera.

Non dare inizio alla meditazione fino a che il gruppo non sia in qualche modo sistemato. Fai conto che per questo può volerci del tempo. Mentre cominci, potrai notare che l'atmosfera circostante sta cambiando. Il mormorio che in genere c'è nel gruppo all'inizio di una sessione tende a diminuire. Ciò si verifica nello stesso modo in cui un pubblico educato si acquieta quando un concerto sta per iniziare. Chiedi ai partecipanti di chiudere gli occhi. Benché non tutti coloro che guidano un gruppo di preghiera preferiscano che gli occhi siano chiusi durante la meditazione, io trovo che di solito ciò aiuta la gente a concentrarsi e a evitare distrazioni. Ciò che stiamo tentando di fare è creare uno spazio tranquillo dentro di noi nel quale Dio possa parlare ai nostri cuori. Dag Hammarskjold disse: «Siamo bravi a esplorare lo spazio esterno, ma non quello interno», ed è proprio l'esplorazione di questo spazio interiore che ci accingiamo a fare.

Nell'avvicinarti alla preghiera, può darsi che si manifestino molte domande esistenziali. Potresti chiederti: qual è lo scopo della vita? Cosa ti impedisce di trovare il tempo per pregare? Nella tua vita, di recente, dove hai notato tracce del divino? Non avere fretta. Vale la pena a questo punto sottolineare ancora l'importanza di non procedere con precipitazione. Resta fermo, rifletti, apprezza qualsiasi cosa tu abbia a disposizione. Sant'Ignazio di Loyola e Anthony De Mello hanno insistito molto specialmente su questo punto. Sapevano che, durante la preghiera, è particolarmente importante fare una pausa e riflettere, quando si sente che si stanno ottenendo dei risultati fruttuosi.

Riepilogo

Quando hai finito di pregare, è consigliabile prendersi un po' di tempo per riflettere attentamente sull'esperienza e rivedere a fondo come sono andate le cose. La seguente lista di controllo può essere di qualche utilità:

- Mi sono preparato bene?
- Il periodo in cui ho pregato è andato bene o no?
- Ero stanco?
- Il luogo in cui ho pregato era troppo rumoroso?
- Sono stato capace di entrare in una disposizione adatta per la preghiera?
- Ho organizzato abbastanza bene il materiale per la preghiera?
- Sono in grado di usare le osservazioni fatte in un'occasione futura?
- Ho condotto la sessione in fretta?
- Qual era l'argomento della preghiera?
- Se ho fatto uso delle Scritture, fino a che punto sono arrivato?
- Che cosa ho imparato?
- C'è stato niente nella preghiera che mi ha colpito?
- Ho capito perché quel particolare punto mi ha dato fastidio?
- Ci sono stati dei momenti in cui mi sembrava di trovarmi di fronte a un ostacolo?
- Ho bisogno di lavorare ancora su questo ostacolo?
- La prossima volta, riuscirò a evitare le difficoltà incontrate cambiando qualcosa?
- Sono riuscito a entrare in contatto diretto con Dio, con o senza parole?
- Quando mi sono fermato, c'era ancora qualcosa che avrei potuto esaminare proficuamente?
- Quando penso di portare avanti un altro periodo di preghiera?

• Quale passaggio delle Scritture o quale materiale mi piacerebbe usare la prossima volta?

• Sarebbe una buona idea lavorare ancora sul tema odierno?

Una lista come questa aiuta a mettere a fuoco la propria preghiera. Molti di noi dimenticano, di tanto in tanto, alcuni punti essenziali circa l'economia di una buona preghiera. Una lista mantiene il livello più alto. Se lavori con un gruppo di preghiera, spesso è utile, concludendo la meditazione, invitare i partecipanti a condividere cosa è successo loro durante il periodo della preghiera. Tale condivisione deve essere fatta liberamente e potresti usare una frase del tipo: «Sarebbe utile se qualcuno volesse condividere la propria esperienza con chi gli sta vicino. Condividete solo ciò che desiderate e fintanto che vi sentite a vostro agio».

Esercizio Uno

L'esame

Questo è un breve esercizio raccomandato ai suoi discepoli da sant'Ignazio di Loyola. Egli ha consigliato di eseguirlo giornalmente per mantenersi in contatto con la parte migliore di se stessi.

Preparati. Ora prenditi del tempo per rimanere solo con il Signore. Fai attenzione ai momenti della giornata in cui hai desiderato l'aiuto e la saggezza di Dio. Momenti in cui eri confuso circa decisioni da prendere. Forse eri preoccupato per la tua salute. Forse hai avuto bisogno di forza in momenti di confusione o ansia. Lasciati avvolgere da questo bisogno di Dio. ParlaGli con parole tue.

Ripensa alla tua giornata e concediti di sperimentare il dolore per qualsiasi tua azione meschina. Possono tornarti in mente degli episodi non particolarmente importanti. Tuttavia, può darsi che ne emerga un sentimento di debolezza o di colpevolezza. Se percepisci la tua debolezza, chiedi di essere perdonato.

Infine, guarda avanti e prega per il futuro. Pensa alle persone che incontrerai, al lavoro che dovrai fare. Pensa ai problemi che si presenteranno nella tua vita e alle amicizie che potresti creare. Ringrazia per quanto hai ricevuto fino a ora.

Esercizio Due

Meditazione sul respiro

L'obiettivo di questo esercizio è solo quello di fare una cosa per volta e nel modo più completo possibile. In questo caso, cerca di contare quante volte inspiri e quante volte espiri. Mentre cominci, cerca solo di essere consapevole del conteggio e di esserlo il più a lungo possibile. Mentre ti concentri, presta attenzione, volta per volta, a quanto stai facendo. Metti a fuoco il tuo respiro mentre entra e mentre esce dal tuo corpo. Questo esercizio diventerà presto molto facile e avrà un effetto distensivo. Ti accorgerai che comincerai a rilassarti automaticamente. Mentre respiri, recita: «Gesù è il Signore», e prega silenziosamente così, chiedendo al Signore di essere parte della tua vita. Lascia che il senso di Gesù che penetra nella tua vita rimanga con te mentre continui il ritmo della salmodia e della respirazione. Concludi questo esercizio di preghiera dopo circa dieci minuti. Sant'Antonio abate ha cercato di spiegare il significato di tale messaggio quando disse che: «La preghiera del monaco non è perfetta finché egli non è più consapevole di se stesso o del fatto che sta pregando».

Esercizio Tre

Vangelo di san Matteo
(Mt 6, 1-8)

Fare l'elemosina in segreto

Guardatevi dal praticare le vostre buone opere davanti agli uomini per essere da loro ammirati, altrimenti non avrete ricompensa presso il Padre vostro che è nei cieli.
Quando dunque fai l'elemosina, non suonare la tromba davanti a te, come fanno gli ipocriti nelle sinagoghe e nelle strade per essere lodati dagli uomini. In verità vi dico: hanno già ricevuto la loro ricompensa. Quando invece tu fai l'elemosina, non sappia la tua sinistra ciò che fa la tua destra, perché la tua elemosina resti segreta; e il Padre tuo, che vede nel segreto, ti ricompenserà.

> Quando pregate, non siate simili agli ipocriti che amano pregare stando ritti nelle sinagoghe e negli angoli delle piazze, per essere visti dagli uomini. In verità vi dico: hanno già ricevuto la loro ricompensa. Tu invece, quando preghi, entra nella tua camera e, chiusa la porta, prega il Padre tuo nel segreto; e il Padre tuo, che vede nel segreto, ti ricompenserà. Pregando, poi, non sprecate parole come i pagani, i quali credono di venire ascoltati a forza di parole. Non siate dunque come loro, perché il Padre vostro sa di quali cose avete bisogno ancora prima che gliele chiediate.

Ecco come dovresti pregare.

Per prima cosa mettiti comodo e usa uno degli esercizi preparatori per la sessione.

Quando sei pronto, comincia con il ricordare le parole di Cristo come sono state rivelate nel succitato testo di san Matteo. Adesso immagina la scena. Gesù è con i suoi discepoli. Sta parlando loro della preghiera. Li mette in guardia contro il volersi mettere in mostra e dice che molti pregano solo per far bella figura di fronte ai vicini. Questo modo di pregare è assolutamente inutile. Immaginiamo di essere con gli apostoli mentre Gesù dà loro una lezione sul modo di pregare.

Per prima cosa, ricorda che Dio è il maestro e merita venerazione. Cerca di avvertire la vicinanza di Dio. Chiedi quindi ciò che è necessario alla salute del corpo e della mente. Pensa ora a persone che possono averti offeso. Chi erano? Perché sono state cattive? Hai avuto parte in qualche modo anche tu nel creare tale risentimento? Lo hai fatto volontariamente o involontariamente?

Ricorda ora che serbare del rancore è più nocivo per chi lo prova di quanto non lo sia per la vittima designata. Ripensa infine alle prove che hai dovuto affrontare di recente. Chiedi che ti vengano risparmiate altre prove di natura troppo diversa. Implora Gesù di starti vicino se devi affrontarne delle altre. Se ti stai avviando sulla strada sbagliata, chiedigli di dirigerti e guidarti. Chiedigli di poter presentare le tue parole e le tue richieste nel modo più consono.

Nel concludere la sessione, diventa di nuovo consapevole del ritmo della respirazione. Inspira profondamente fino al plesso solare, chiedendo la pace. Espira silenziosamente attraverso la bocca e chiedi che la pace ti venga concessa.

Quando ti senti pronto, concludi la meditazione.

3
COS'È LA MEDITAZIONE?

Impariamo ciò che dobbiamo fare facendolo.
Aristotele

Quando ero giovane seguivo con interesse gli incontri pubblici e ho ascoltato alcuni dei maggiori conferenzieri del mio tempo. In un'occasione, chiesi a un predicatore particolarmente incisivo come avrei potuto migliorare il mio rendimento. La sua risposta fu: «Limitati a parlare. In ogni occasione, alzati in pubblico. Abituati a dare forma alle tue idee. Impara a pensare stando in piedi, e fallo di fronte a un pubblico. Impara facendolo. Esercitati con costanza, perché solo così potrai migliorare». Quel predicatore sapeva che il miglior modo per imparare una cosa è farla. Lo stesso vale per la meditazione. Se vuoi sentirti più a tuo agio con la preghiera e con la meditazione, quanto sopra detto si adatta al tuo caso. Inizia oggi: fallo, semplicemente. Non sarai né il primo né l'ultimo.

Paul McCartney, il famoso membro del complesso dei Beatles, in un recente articolo ha cercato di spiegare come ha cominciato a interessarsi alla meditazione e in che modo ha mosso i primi passi verso l'acquisizione di tale arte. Nell'agosto del 1967, Paul si recò a Bangor per prendere parte al seminario di meditazione di Maharishi, in cui cercò di apprendere i fondamenti della meditazione. «Non è così facile» disse. «Non lo impari in un attimo. Nel corso che ho frequentato, tutti i giorni si doveva aspettare fuori della stanza di Maharishi. Questi incontrava i suoi seguaci individualmente e, quando arrivava il tuo turno, ti diceva che avrebbe sussurrato il tuo mantra speciale a bassa voce. Pronunciava quella frase una sola volta e tu la ripetevi per essere sicuro di aver capito bene. Era importante che tu non la ripetessi a nessuno perché, facendolo, ne avresti in certo qual modo sminuito il valore. Se non la pronunci ad alta voce, resta sempre qualcosa di speciale. Maharishi disse che si può provare a pronunciare il proprio mantra a velocità diverse. Ricordo che un'immagine che mi ha aiutato nella meditazione è stata quella di una persona che stava presso un cancello, masticando un fuscello che teneva in bocca. Si ottengono delle simili, piacevoli visioni di pace. Non sarebbe una cattiva idea passare venti minuti al giorno facendo qualcosa del genere, invece di gridare a qualcuno. In pratica, questo è ciò che ho pensato di tutta l'esperienza.»

Le parole di Paul McCartney ci danno un'idea di come intraprendere il cammino della meditazione. Ma, in pratica, cos'è la meditazione? In parole semplici, si potrebbe dire che la meditazione è il processo con cui si rilassa il corpo e la mente al fine di entrare silenziosamente all'interno di se stessi. La meditazione ha il potere di tranquillizzarci e di calmarci. A volte mette la mente e lo spirito in grado di afferrare e interagire con ciò che si verifica al livello più profondo dell'essere. Crea uno spazio nel quale Dio può raggiungerci. La meditazione è un processo delicato. Fornisce tempo e spazio in cui questioni importanti hanno la possibilità di affiorare, a patto che vengano scelte le domande giuste e si abbia il coraggio di affrontarle. Se ne facciamo un uso corretto, la meditazione può condurci verso l'autorealizzazione e verso Dio.

La parola latina *meditari* rende ancora più chiaro il significato di ciò che vuol dire meditazione e di ciò che essa offre. Suggerisce l'idea di guarigione, di equilibrio, di musica, di ritmo e di armonia nella nostra vita, e ci consiglia di fare attenzione all'io interiore e alle esperienze che sperimentiamo nella vita. Ci accorgiamo pian piano che meditare non significa forzare la mente alla calma, ma piuttosto scoprire la calma che già esiste in essa. La meditazione deve aiutare il meditante a essere più libero, più concentrato e più capace di agire sui suoi sentimenti. Dà un senso di integrazione. Non si tratta di raggiungere qualcosa, ma semplicemente di rivelare ciò che già siamo. Non è questione di estromettere o eliminare qualcosa. Si tenta solo di vedere le cose più chiaramente.

Anthony De Mello ha sottolineato l'importanza di avere questa visione più chiara. Ha messo in luce i vantaggi dell'essere calmi e rilassati. Egli suggeriva che, mentre si prega, varrebbe la pena di scoprire se c'è qualcosa di nuovo, di creativo o di utile nelle esperienze che abbiamo fatto negli ultimi mesi. Sapeva che uno degli scopi essenziali della meditazione è proprio quello di aiutare i meditanti a vedere più chiaramente, a essere più concentrati e quindi più capaci di interagire con ciò che avviene intorno a loro. Se la meditazione ci fa sentire più integrati e più in contatto con ciò che esiste nel nostro intimo, può anche aprire degli spazi dove Dio può raggiungerci, o dove noi possiamo raggiungere Lui.

La meditazione è stata descritta come la semplice conoscenza di se stessi e di ciò che è questo sé. Si tratta di arrivare a capire, che vi piaccia o meno, di aver intrapreso un viaggio. Tale viaggio è il sentiero della tua vita. Il sentiero ha una direzione; è sempre in svolgimento, e ciò che avviene ora, in questo momento, influenza ciò che avverrà in seguito. Durante la meditazione, si possono usare quattro strade o sentieri principali per ottenere il proprio scopo. La via dell'intelletto, la via dell'emozione, la via del corpo e la via dell'azione. Qualunque via si scelga, è necessario essere pronti. La meditazione va intrapresa al momento giusto nella propria vita, e quando si è pronti ad ascoltare con attenzione la propria voce e il proprio cuore.

«Le cose più importanti che ci vengono dette sono quelle che provengono dal nostro io interiore» ha notato Adelaide Bry, ma, a meno che non decidiamo di prenderci il tempo necessario per ottenere la calma interiore, può darsi che non scopriremo mai o che non sentiremo mai ciò che il nostro intimo sta cercando di dirci. La meditazione, quando viene eseguita perfettamente, calma e tranquillizza la personalità e permette alla mente e allo spirito di afferrare ciò che avviene nel profondo. Non si devono fare le cose in fretta. Come avviene per certa bella musica, dobbiamo darci tempo. Non si misura la velocità della musica per arrivare in qualche posto: se così fosse, l'orchestra migliore sarebbe quella che finisce il pezzo per prima. Ci sono delle tecniche che possono essere usate in meditazione per farci andare più piano e per creare quello che può essere definito uno stato meditativo. Alcune di queste tecniche sono fisiche. Il modo in cui respiriamo e la posizione che assumiamo possono essere utili per raggiungere un buon ritmo. Altre sono mentali, come il visualizzare delle scene, creare delle fantasie o sviluppare un dialogo interiore. Che il metodo usato sia fisico o mentale, le tecniche di meditazione tendono a far raggiungere ai meditanti un senso di unità nel loro stile di vita. È un modo di essere piuttosto che di fare. La grazia della meditazione è di essere svegli. Ciò non vuol dire soltanto essere vigili. Essere veramente svegli può significare un nuovo modo di essere, più gioioso, più ricco e più felice.

La parte principale del messaggio di ogni tipo di meditazione è imparare a fare una cosa alla volta. È importante restare concentrato. Molti mistici orientali consigliano dei piccoli esercizi che possono aiutare ad acquisire questa capacità. Alcuni raccomandano che, ogni volta che si intraprende un'azione, si parli a se stessi di ciò che si sta facendo. Quando ci alziamo la mattina e ci laviamo i denti, ricordiamo a noi stessi che questa è l'azione che stiamo compiendo. Prova a farlo per alcuni giorni. L'idea dell'auto-osservazione o di fare una relazione delle proprie azioni può sembrare al principio strana, ma aumenta l'autoconsapevolezza. Ti basta pensare a un'azione che compi con regolarità per renderti conto di quanto sei inconsapevole. Se percorri ogni giorno lo stesso tragitto per andare al lavoro, quanto spesso ti accorgi di stare sognando a occhi aperti? Non puoi essere sicuro di aver oltrepassato o meno certi punti di riferimento. Se intraprendi la meditazione, comincerai presto a notare certi benefici. Un risultato evidente è un sonno più profondo, poiché la meditazione ti aiuta ad analizzare con regolarità il materiale delle tue esperienze, lasciandoti così con meno sostanze estranee nella mente. Gli amici di coloro che meditano asseriscono di vedere numerosi cambiamenti nei meditanti non appena iniziano tale pratica. Anche coloro che meditano per la prima volta dichiarano di essersi sentiti rilassati e in pace. Spesso sentono una sensazione generale di benessere e fiducia, unitamente a una nuova calma ed energia.

Alla fine della meditazione, si dovrebbe cercare di restar seduti in silenzio ed esaminare con calma il proprio corpo e la propria mente. Senti che è cambiato qualcosa rispetto a prima di iniziare? Pensi che sia meglio o peggio? Ciò che stai sperimentando ti sembra positivo o negativo? Dapprima ti sembrerà artificiale ed esagerato osservare le tue reazioni, ma con la pratica regolare diventerà facile e naturale. Prova per un breve periodo. I vari tipi di comportamento si ripeteranno e ti appariranno chiari. A seconda delle sensazioni del tuo corpo, capirai se certi eventi nella tua vita sono giusti o meno per te. Può darsi che a volte la sensazione di energia nella tua vita sembri rallentata o soppressa. Poiché questo è un processo graduale, può darsi che tu non te ne accorga fino al momento in cui ti fermi a osservare come ti senti. Per mezzo dell'autoconsapevolezza puoi decidere, dopo aver compreso gli schemi che operano nella tua vita, se provare o meno ad apportare dei cambiamenti dentro di te.

Le meditazioni hanno in genere lo scopo di fornire

un'esperienza positiva. Un buon inizio è l'osservazione di ciò che si verifica nel tuo intimo. Fai attenzione alle domande esplorative man mano che vengono alla superficie. Puoi percepire questioni come: Qual è lo scopo della mia vita? Da dove vengo? Dove penso di andare? Come devo agire per raggiungere il mio scopo? Per cosa devo vivere? Cosa mi impedisce di vivere pienamente? Cosa mi impedisce di trovare il tempo per pregare? Tratta l'esperienza della meditazione di preghiera come se stessi guardando un film. Fai in modo che Cristo, o tu stesso, sia l'attore principale. In seguito, potresti prendere appunti. Cerca di divenire consapevole dell'aspetto emotivo della tua vita durante le ventiquattr'ore precedenti. Inizia a condurre verso la preghiera i tuoi sentimenti e i tuoi pensieri. Permetti a ogni domanda esplorativa di venire alla superficie. Poi, quando sei pronto, puoi riflettere sugli argomenti che sono affiorati. Esaminali e godine il beneficio.

Ho cercato di spiegare che cos'è la meditazione e cosa può fare per te. Può sembrare un compito facile, ma non lo è. Si narra la storia di un maestro nel Tibet che faceva lezione a uno studente difficile. Questo apprendista aveva la noiosa abitudine di fare continue domande sul significato e sui metodi della meditazione. Aveva la tendenza a criticare sempre. Quando un giorno chiese per la centesima volta: «Come si medita?», sentì il maestro rispondere: «Quando il tuo ultimo pensiero è passato e quello prossimo non si è ancora manifestato, non c'è uno spazio vuoto?».

Lo studente fu d'accordo su questo e il maestro continuò: «Bene, prolunga questo spazio vuoto, perché questa è la meditazione».

Al suo più alto grado, la meditazione è stata spesso definita come la semplicità stessa. In Oriente dicono: «Non limitarti a fare qualcosa, siediti là». Fermati e sii presente. Non preoccuparti di fare: cerca solo di essere, per un breve momento, tanto per cambiare. Cerca di interrompere ciò in cui sei impegnato e mettiti a sedere. Diventa consapevole e di tanto in tanto trova il tempo di assaporare ciò che ti sta accadendo. Accetta il momento presente per quello che è, incluso come ti senti in questo momento e cosa ti sembra stia accadendo. In questi momenti di riflessione, non cercare assolutamente di cambiare qualcosa. Limitati a respirare e a lasciar andare. È spesso difficile seguire la saggezza orientale e rendersi conto che la meditazione non significa raggiungere qualcosa, ma semplicemente comprendere chi sei e dove già sei. Un buon sistema per diventare consapevoli è fare semplicemente attenzione. Ricordo di aver visto, nella rivista «The New Yorker», una vignetta che rappresentava due monaci zen con la tunica e la testa rasata. Uno era giovane e l'altro vecchio e ambedue stavano seduti sul pavimento a gambe incrociate. Il più giovane cercava una guida per la meditazione e guardava il più anziano in modo interrogativo. Questi, voltato verso di lui, dice: «Dopo non succede niente. Questa è la meditazione».

Anthony De Mello, quando gli veniva chiesto di spiegare cos'è la meditazione, raccontava la storiella di uno studente che andò dal suo maestro zen chiedendogli parole di saggezza. Poteva il maestro dargli qualcosa che lo guidasse nella vita e che diventasse per lui un faro di ispirazione? Il maestro zen prese in mano un pezzo di carta e vi scrisse la parola: «Attenzione». Quando lo studente gli chiese di spiegarsi più chiaramente, il maestro zen scrisse: «Attenzione, Attenzione». Poiché lo studente restava ancora perplesso, e si chiedeva cosa potessero significare queste parole, il maestro zen, per aiutarlo, scrisse quest'ultima riga: «Attenzione, Attenzione, Attenzione, significa Attenzione».

Sogyal Rimpoche, un altro guru orientale, dice che il punto essenziale e scopo della meditazione è quello di integrare la riflessione nell'azione della vita quotidiana. Per un cristiano sarebbe giusto dire che lo scopo principale è assicurarsi che Dio stia operando nell'esistenza di ciascuno proprio in questo momento. Alcuni dicono che pregare è come parlare con Dio, mentre la meditazione può essere un modo di ascoltare Dio. Il famoso guru spirituale Krishnamurti ha detto: «Meditazione significa essere consapevole di ogni pensiero e di ogni sentimento, non dire mai che è giusto o sbagliato, ma semplicemente osservarlo e andare oltre. Mentre osservi, potresti cominciare a capire il movimento dello spirito». Altri mistici indiani asseriscono che la meditazione è lo stabilizzarsi della mente nel silenzio. Anche sant'Ignazio, il fondatore dell'ordine dei gesuiti, ricercava il silenzio interiore e si raccomandava di cercare i luoghi, nella propria vita, dove potrebbero essere presenti la bontà di Dio e i suoi frutti. L'ideale di sant'Ignazio era di trovare Dio in tutte le cose. Dobbiamo considerare le banalità della vita quotidiana e scoprirvi le tracce dello spirito.

Molti studenti chiedono se è facile o difficile intraprendere la meditazione. Dipende da molte cose. Può essere difficile controllare il miscuglio di fantasia, colpa, preoccupazione, desiderio, speranze deluse e sogni vaghi. Alcuni studenti dicono spesso che non meditano correttamente e credo che, prima o dopo, la maggior parte dei praticanti abbia detto la stessa cosa. Che cosa significa meditare correttamente? Tanto per cominciare, mettiti a sedere e basta. Per alcuni, il semplice fatto di star seduti è la cosa più difficile del mondo. Convinciti che non devi fare niente. Se hai delle distrazioni, metti in chiaro chi è che comanda. Osservale con attenzione, accettale, e quindi ritorna con calma all'obiettivo della tua meditazione. Non permettere che degli ostacoli ti sopraffaggano o ti convincano che non c'è niente da fare. In genere il tempo passato in meditazione dovrebbe farti sentire meglio quando la fai di quando non la fai. Dopo la meditazione, resta seduto per qualche momento e rilassati. Cerca di capire come ti senti realmente rispetto a come ti sentivi prima di cominciare.

Esistono varie tecniche di meditazione. Ciò che funziona per una persona può non essere adatto a un'altra. Alcune persone reagiscono alla visualizzazione, mentre altre sono attratte dal suono. Ci sono coloro che trovano il senso del tatto molto efficace, mentre per altri funziona una combinazione di tutte le tecniche succitate. Ho lavorato con persone che sono in stretto contatto con ciò che il corpo dice loro, mentre nello stesso gruppo ce ne sono altre che non sono assolutamente consapevoli delle sensazioni corporali, ma sono invece connesse con le loro emozioni o con la loro mente. Nessuna tecnica, per quanto eccellente, può sempre andare bene per tutti.

Pensa quindi ai suggerimenti di cui abbiamo parlato in questo capitolo e prova a usare la tecnica o il metodo che credi sia meglio per te. Creati dei "momenti di immobilità". In Oriente, dicono spesso che noi occidentali non sappiamo cosa avvenga nel profondo del nostro essere perché siamo sempre in movimento. Per sentire chiaramente la voce interiore, è necessario che qualche volta restiamo fermi, in silenzio e da soli, ritagliandoci dei momenti di solitudine. Il mistico medievale tedesco Meister Eckhart ha detto: «Non c'è niente al mondo che assomigli a Dio come il silenzio», perciò comincia con dei brevi momenti di tranquillità. Quando la tua mente è rilassata, calma e silenziosa, sei vicino allo stato meditativo. Ciò che cerchi di fare è allenare la tua mente. Aiutala ad apprezzare uno stato di attenzione e di calma per periodi sempre più lunghi. È un po' come avere a che fare con un bambino piccolo. Se la tua mente divaga, forniscile un nuovo centro di interesse ed essa tornerà indietro con piacere. All'inizio non aspettarti troppo, ma aumenta gradualmente la durata del tempo trascorso in questa pratica. Nell'intraprendere la meditazione, ti sposti da uno stato mentale a un altro. Cerca di creare uno spazio sacro, un momento sacro per aiutare tale processo. Se ti distrai, ritorna al punto di quiete. Quando la meditazione è conclusa, rientra dolcemente nel ritmo della vita quotidiana.

Un piccolo avvertimento prima di terminare il capitolo. Potrebbe capitare, anche se raramente, che tu abbia la sensazione che una particolare meditazione non vada bene per te. Sembra che non si adatti bene alla struttura del tuo essere. Se ciò dovesse verificarsi, non sforzarti. Per il momento metti da parte quella particolare meditazione. Voglio sottolineare che, nella mia esperienza, i sentimenti negativi sono molto rari. Non dovresti comunque continuare con una meditazione che ti fa sentire profondamente a disagio fino a che non comprendi del tutto la ragione del tuo disagio e fino a che non senti che questa ragione non sussiste più.

Esercizio Uno

Controllare la mente

Siediti comodamente in una stanza tranquilla.

Decidi di mettere a fuoco un solo elemento di meditazione per i prossimi minuti. Potresti decidere di osservare con attenzione la velocità del ritmo del tuo respiro. Alternativamente, potresti osservare la sensazione di freschezza dell'aria mentre entra nel tuo corpo. Ricordati di controllare ed eliminare i pensieri indesiderati. Mantieni il più a lungo possibile la consapevolezza del ritmo del tuo respiro. Termina l'esercizio quando ti sembra opportuno. La tua concentrazione su questo tema avrà dapprima una durata molto breve. Le prime volte in cui proverai a farlo, la concentrazione si indebolirà presto. Aumenta la durata in un periodo di alcuni giorni o settimane. Aumenta gradatamente il tempo fino a 15-20 minuti.

Una volta raggiunta la consapevolezza per un tale periodo di tempo, fermati e fai un'analisi.

Questo esercizio può essere ora ridotto a pochi minuti. Usalo all'inizio della meditazione individuale che segue.

Esercizio Due

Pratica di meditazione (alternativa). Controllo della mente

Siediti comodamente, da solo, in una stanza silenziosa. Nell'iniziare l'esercizio, cerca di captare ogni suono che senti al di fuori della stanza. Cerca di distinguere i diversi elementi nell'insieme del rumore. Senti forse un aeroplano, oppure un uccello, o il traffico della strada? Dopo qualche momento, porta la tua attenzione all'interno della stanza. Cosa puoi sentire qui dentro? Forse senti lo scricchiolio delle tubature della tua casa oppure il movimento della tua sedia? Oppure senti il rumore del tuo corpo, o del corpo di altri, che cambia posizione?

Fai passare qualche momento. Quindi porta il centro della tua attenzione ancora più all'interno. Vedi se riesci a percepire il passaggio dell'aria attraverso le narici. Cerca di sentire la sua freschezza, oppure il suono appena percepibile che produce nell'entrare e nell'uscire dal tuo corpo. Diventa consapevole del ritmo della respirazione. Mentre respiri, conta lentamente fino a quattro durante l'inspirazione, e fai altrettanto mentre espiri. Cerca di visualizzare il respiro mentre entra ed esce dal tuo corpo. Con l'immaginazione osserva l'aria che entra attraverso il naso. Osservala mentre attraversa la gola e si fa strada, lentamente, verso il basso. Percepiscila quando arriva alle spalle e si sposta giù per le braccia fino alle dita. Osservala quindi mentre gira intorno alla spina dorsale facendosi strada fino all'addome. Continua a percepire il ritmo del respiro e senti te stesso diventare più calmo. Ricorda di controllare ed eliminare i pensieri indesiderati.

Concludi l'esercizio quando ti sembra opportuno, oppure quando la concentrazione diminuisce.

Il suddetto esercizio è un'introduzione molto utile a qualsiasi meditazione. Usalo come preparazione alla seguente meditazione.

Esercizio Tre

Vangelo di san Matteo
(Mt 13, 31-33)

Il grano di senapa e il lievito

Per prima cosa leggi il testo.

Un'altra parabola espose loro: «Il regno dei cieli si può paragonare a un granellino di senapa, che un uomo prende e semina nel suo campo. Esso è il più piccolo di tutti i semi, ma una volta cresciuto, è più grande degli altri legumi e diventa un albero, tanto che vengono gli uccelli del cielo e si annidano fra i suoi rami». Un'altra parabola disse loro: «Il regno dei cieli si può paragonare al lievito, che una donna ha preso e impastato con tre misure di farina perché tutta si fermenti».

Quando ti sei sistemato, immagina un piccolo seme piantato nel terreno. Dapprima considera chi ha preso e piantato il seme sottoterra. Perché hanno scelto proprio questo punto per piantarlo? Guardati intorno: quali sono le condizioni che permetteranno al seme di crescere? Il clima e l'ambiente sono propizi? Ci sono dei nemici naturali all'intorno?

Cerca adesso di immaginarti come seme. Come ti senti laggiù, sottoterra? Il suolo è preparato e pronto per te? Sei solo, oppure sei stato piantato con altri semi? Se ce ne sono altri, sono uguali a te o appartengono a un'altra varietà? Cosa mette in moto e fa scattare il tuo stimolo a crescere? Ti stai sviluppando alla stessa velocità degli altri? Osserva adesso il processo di sviluppo che sta iniziando in te. Che cambiamenti puoi notare? La tua crescita è rapida o graduale? Sei felice del cambiamento oppure opponi resistenza? I segni della vita appaiono quasi istantaneamente, oppure il tuo sviluppo è lento? Come ti senti quando la tua essenza raggiunge la superficie del terreno? Ti piace quello che stai sperimentando?

Adesso presta attenzione alla zona delle radici. Questa è la parte di te stesso che deve nutrire e favorire la tua crescita. Le condizioni devono essere buone se deve germogliare qualcosa di utile e robusto. C'è qualcuno lassù in superficie che cerca il seme che sei tu? C'è qualcuno che offre assistenza al piccolo seme per il suo processo di crescita? Trasferisci ora il significato di questa scena alla tua vita. Cerca di capire quali sono le similitudini e le diversità fra te e il seme.

Quando ti senti pronto, concludi la meditazione.

Esercizio Quattro

Il luogo preferito

Dopo i soliti preliminari, ricomponiti e immagina la seguente scena.

Stai camminando per un sentiero di campagna. Ci sono campi su ambedue i lati. Mentre cammini, tutt'a un tratto noti un gradino su un lato del sentiero, così ci sali sopra. Ora ti trovi in un campo costellato di fiori selvatici. Senti il rumore delle api e di altri insetti. Resta fermo per un momento e ascolta questi suoni. Più avanti scorgi un ruscelletto che scorre lungo il campo. Ti dirigi verso il ruscello e ti siedi per un po' sull'argine, ascoltando il rumore dell'acqua che scorre.

Il ruscello è stretto. Decidi di attraversarlo. Il mondo esterno sembra lontanissimo. Decidi di andare in esplorazione. Che aspetto ha la campagna che ti circonda? È piatta o sassosa, rigogliosa o arida? Quali tipi di fiori, di alberi o di cespugli ci sono? Il sentiero su cui ti stai incamminando è relativamente libero oppure è costellato di ostacoli?

Continua su questo sentiero attraverso i campi e alla fine ti troverai di fronte a un edificio. Guarda con attenzione l'edificio che vedi di fronte a te. Individuane l'ingresso principale ed entra, dato che si apre facilmente al tuo tocco. Sei nel palazzo. Troverai un corridoio con molte porte. Tutte le porte sono chiuse eccetto una, che è socchiusa. Varca quella porta. Ti trovi ora in una stanza piena di oggetti. Osserva tutto ciò che vedi. Al centro della stanza c'è un tavolo. Sul tavolo si trova un libro con il tuo nome stampato sulla copertina. Siediti e sfoglia il libro. Sei venuto per trovare un segno, un simbolo che ti insegni qualcosa di significativo su te stesso. Allora, cosa vedi? È probabile che troverai un'immagine, un quadro, un disegno: ti dice niente su te stesso? Quando sei pronto per andartene, chiudi il libro, lascia la stanza, torna indietro ed esci dalla casa, sentendoti grato per ogni intuizione avuta. Ritorna al ruscello, attraversalo, ripassa quindi dal campo e risali sul gradino. Torna al luogo dal quale sei venuto e registra tutte le impressioni ottenute dal tuo viaggio.

Esercizio Cinque

Meditazione su come guarire dai ricordi

Chiudi gli occhi e distendi il corpo. Prendi consapevolezza del tuo respiro. Nota come il corpo si solleva dolcemente a ogni inspirazione e come si rilassa a ogni espirazione. Immagina di poter inspirare lo spirito divino che comincia a vorticare dentro il tuo corpo fino a che lo espiri con delicatezza. Lascia che lo spirito fluisca in te e riversi la sua bontà dentro di te. Immaginalo come se tu stessi in un raggio di sole. Inspira il calore e la vitalità dello spirito. Lascia che ti avviluppi nella sua luce e nel suo calore.

Quando ti senti pronto, inizia a visualizzare un viaggio all'interno di te stesso. Questa meditazione riguarda le tempeste e i problemi nella tua vita. Devi ritornare con la mente a periodi del passato in cui hai avuto dei problemi.

Immagina di stare aspettando l'ascensore al quinto piano di un palazzo. Questo arriva, ma non è il solito tipo di ascensore. Non ti porta giù alla base del palazzo, ma ti conduce fino al punto più profondo del tuo essere. Entri nell'ascensore. La porta si chiude e cominci a scendere. Mentre stai scendendo dal quinto piano, la tua mente si riempie di una sensazione di meraviglia. Ti stai muovendo verso zone che probabilmente non hai mai visto. Ti avvicini al quarto piano e ti senti prendere da un senso di mistero. Non sei sicuro di ciò che troverai. Quindi giù fino al terzo piano, mentre l'eccitazione aumenta. Scendi al secondo piano e lascia che la tranquillità riempia il tuo animo. Ora la porta dell'ascensore si apre e tu esci al pianterreno. La scena che ti si trova innanzi è una completa sorpresa. La zona è bella e ti rendi conto che ti accingi ad accamparti qui per la notte. Con te c'è un gruppo di persone, ma esse si allontanano per darti più spazio. Adesso sei solo, ma ti senti al sicuro. Decidi di stendere il tuo sacco a pelo all'esterno, sotto il cielo estivo pieno di stelle. Ti distendi nel tuo sacco a pelo e guardi attraverso la campagna. Scorgi in distanza le luci di una città: è un'immagine piena di pace. Ma ben presto ti senti stanco e ti addormenti.

Ti svegli di colpo con un sobbalzo. Ci sono lampi e tuoni ovunque. Abbastanza stranamente, non hai paura. Ti senti protetto e amato da Dio.

Mentre la tempesta infuria intorno a te, la tua mente ritorna alle tribolazioni che hai avuto in passato. Quali erano questi problemi? Perché si sono verificati? Mentre li rivivi nella mente, senti che puoi imparare qualcosa da essi? Come sei riuscito a uscire da quella situazione preoccupante? Hai percepito di essere stato aiutato a raddrizzare quello stato di cose da Dio o da qualche amico? Fai una preghiera di ringraziamento per qualsiasi aiuto senti di aver ricevuto. Chiedi che un simile aiuto ti sia concesso in futuro in caso si verifichi una situazione simile.

Quando ti senti pronto, concludi la meditazione.

Esercizio Sei

Il soldato romano

Accomodati nel tuo luogo di meditazione.

Inizia con il prestare attenzione alla respirazione. Inala profondamente, fai una pausa e quindi espira. Sii consapevole di come i polmoni si espandano durante l'inspirazione e lo stomaco si riempia di aria. Nota come, dopo l'espirazione, sia i polmoni sia lo stomaco espellano l'aria. Ripeti. Inala e fai una pausa: adesso espira. Ancora una volta inspira, fai una pausa, espira. Ogni volta che inspiri, chiedi che la pace di Cristo diventi la tua. Mentre espiri, chiedi che le tue paure e i tuoi problemi vengano allontanati da te. Ascolta il suono del respiro mentre entra nel tuo corpo.

Inizia ora l'esercizio di fantasia immaginando di essere un ufficiale romano. Sei stato mandato a lavorare in Giudea all'incirca al tempo di Cristo. Pensa a come passi i tuoi giorni in questo strano luogo, dato che sei incaricato di fare il censimento. Ogni giorno, tanti tipi di stranieri vengono nel tuo ufficio per riempire le loro schede per il censimento. Immagina i lontani angoli dell'impero da cui provengono. Pensa alle difficoltà che hanno dovuto sopportare per arrivare in questo luogo. Può darsi che siano giunti da ambienti ostili, con poco denaro e senza conoscere nessuno. Hanno avuto a che fare con una burocrazia straniera prima di incontrarti. Ora, nella tua immaginazione, vedi come si conclude la tua giornata. Chiudi l'ufficio. Poiché la tua famiglia è ancora a Roma, non hai voglia di affrettarti per tornare a casa. Fai una passeggiata verso la periferia di questa strana città. Quando raggiungi il margine della città, puoi distinguere le vicine colline. Sei attratto dallo scintillio di una luce che brilla sul fianco di una di queste colline e ti incammini. Dopo un po' raggiungi una caverna al cui interno ha trovato riparo una famiglia. Queste persone ti invitano a entrare e tu accetti l'offerta. Il bambin Gesù si trova all'interno, insieme a Giuseppe e a Maria. Parli con loro del viaggio che hanno compiuto e della recente nascita. Ascolta tutto quello che hanno dovuto passare per arrivare a questo luogo. Mentre contempli Cristo, pensa a ciò che ha dovuto affrontare proprio per noi, per te.

Torna ora con la mente al presente e sii di nuovo te stesso. Forse desideri pensare a qualcuno degli emigranti che arrivano oggi ai nostri lidi. Rifletti su come essi, similmente alla Sacra Famiglia, si sentano esiliati e rifiutati. Vedi come essi debbano lottare con una lingua straniera e con le procedure di immigrazione. Immagina quale sarebbe la situazione se ti trovassi a essere il protagonista di questa scena. Prega di essere capace di ricevere la gente straniera con un cuore aperto.

Quando ti senti pronto, concludi la meditazione.

4
MEDITAZIONE È CAMBIAMENTO

> Può darsi che la preghiera non cambi le cose per te, ma certo cambia te per le cose.
>
> *Samuel M. Shoemaker*

Certi segnali stradali possono sembrare oggetti insoliti. A volte ci dicono più di quanto ci aspettiamo. Uno che mi è particolarmente piaciuto si trova lungo una gelida strada canadese che è spesso coperta di neve o di fango. È semplice e preciso, perché vi sono stampate delle grosse lettere che dicono: «Fate attenzione al fosso che scegliete, perché potreste restarvi a lungo». Lo stesso messaggio potrebbe essere vero per noi nel corso della nostra esistenza. Una delle funzioni della meditazione è proprio quella di assicurarci, per quanto possibile, di non restare – per così dire – bloccati dalla neve. Quando meditiamo, parte del nostro compito è creare uno spazio interiore dove Dio può parlarci e dove anche noi possiamo parlarGli. Molta gente ha cercato di mettere in pratica questa teoria. Madre Giuliana di Norwich, una mistica cristiana medievale, passò molte ore della sua vita in meditazione. La sua famosa frase: «Tutto andrà bene, e tutto andrà bene, e in qualsiasi modo vadano le cose tutto andrà bene», secondo me riassume le nostre speranze e aspirazioni quando ci impegniamo nella meditazione. Cerchiamo di riacquistare l'equilibrio nella nostra vita e vogliamo anche assicurarci di non rimanere bloccati in un fosso. Tentiamo di salvaguardarci dall'attività frenetica da un lato, e dalla stanchezza e depressione dall'altro. Quando iniziamo a meditare, il nostro tempo sarà probabilmente in gran parte occupato a cercare di restare concentrati. In seguito, ci chiederemo: «Dove vado, a partire da qui?».

La guida spirituale indù Bhagwan Sri Rajneesh ha messo in evidenza due aree su cui, secondo lui, la gente dovrebbe concentrarsi quando emerge dagli stadi iniziali della meditazione.

In primo luogo, egli dice che è possibile rendersi conto di come la vita abbia assunto una sfumatura particolarmente attiva. Saranno necessari un certo sforzo e una certa preparazione per progredire oltre questa fase. Iniziamo questa preparazione lavorando un poco sullo schema della nostra respirazione. Cominciamo con l'osservare come, e a che velocità, siamo soliti respirare. Un secondo metodo per progredire è concentrarsi sui suoni che ci circondano o starli semplicemente ad ascoltare. Prima di iniziare la preghiera, cerca di creare un momento di "stabilizzazione" per favorire la pace e la tranquillità. Se non ti ricomponi, infatti, può darsi che si realizzi molto poco. Non si ottengono buoni risultati se si cerca di entrare subito o in modo confuso in meditazione.

La meditazione è un modo per mettere a punto se stessi, è quasi come accordare uno strumento musicale. I violinisti, quando mettono a punto le corde del loro violino, ascoltano alcune note fondamentali. Anche noi, nel tipo di preghiera che stiamo esaminando, dobbiamo ascoltare ciò che la vita cerca di dirci. Può darsi che la grazia di Dio ci aiuti, oppure potremmo carpire delle intuizioni o l'autoconoscenza, osservando chi siamo, cosa facciamo, perché agiamo come agiamo e che tipo di ricompense derivano dalle nostre azioni e reazioni. Possiamo acquisire ulteriore saggezza se porgiamo l'orecchio ai sussurri della nostra voce interiore e facciamo attenzione alle osservazioni e all'arguzia delle battute dei nostri amici. Le persone hanno ragioni diverse per intraprendere la pratica della meditazione. Alcuni sperano di mettere a fuoco la loro vita e mantenerla in questo modo. Altri cercano l'equilibrio, o il riequilibrio, e sanno che la meditazione può aiutare a eliminare lo stress e a favorire il rilassamento. I praticanti che hanno una lunga esperienza dichiarano che la meditazione può a volte rivelarsi una lotta, ma insistono sul fatto che i benefici che se ne ottengono sono di gran lunga superiori al prezzo pagato. Tali benefici possono avere un effetto diretto sulla nostra salute, sia fisica sia spirituale.

Per ottenere uno qualsiasi di questi benefici, però, è necessario che creiamo il silenzio intorno a noi. Differenti sono i mezzi usati per favorire un modo di essere riflessivo. Fra essi c'è il guardare con intensità la fiamma di una candela, usare la ripetizione di un mantra, seguire il ritmo o la velocità del respiro o addirittura fare attenzione ai ritmi del proprio corpo. Per mezzo di uno o di tutti questi metodi cerchiamo di creare una specie di camera di isolamento interiore che escluda le distrazioni del mondo esterno. La meditazione richiede di rimanere concentrati. Questo significa perseguire il materiale di cruciale importanza che emerge man mano che le distrazioni indesiderate vengono allontanate. Seguire il corso del pensiero richiede concentrazione. I sistemi di cui ho parlato più sopra, e che possono aiutarti a mantenere la concentrazione durante la preghiera, agiscono come un'ancora. Ogni volta che la tua mente si distrae, puoi riportare l'attenzione sull'immagine precisa della fiamma della candela o sul mantra. Rimani con ciò che hai scelto. Il punto essenziale non è la lunghezza della meditazione, ma se questa pratica ti porta a uno stato di attenzione totalmente focalizzata. Per aiutare lo stato meditativo, io cerco di trovare una posizione corporale che mi aiuti a concentrarmi e che mi faccia restare vigile, senza essere né troppo rigido né troppo rilassato. L'essere troppo rigido induce tensione, mentre l'essere troppo rilassato favorisce il sonno.

Il nostro scopo è restare svegli, restare presenti davanti a Dio, mantenendo lontana ogni inutile tensione. Non sono molte le persone che credono di riuscirci bene. Ricordate Groucho Marx? Egli usava dire che non voleva diventare membro di un circolo che lo avesse accettato. Nello stesso modo coloro che pensano di aver fatto della meditazione un'arte sono probabilmente fuori strada. Coloro che, con modestia, cercano di trovare la via giusta per la meditazione fanno spesso dei commenti denigratori sui loro miseri tentativi di pregare e si lamentano della loro incapacità a concentrarsi. Osserviamo come la nostra mente si frammenti in innumerevoli distrazioni prima di scivolare nel sonno. Ero solito pensare di essere il solo a essere incapace di pregare ma, più sento gli altri parlare dei loro tentativi, più mi rendo conto che quasi tutti pensano che gran parte dell'altra gente ottenga risultati migliori dei loro. Non lasciarti scoraggiare dagli insuccessi. Forse ricorderete che il cardinale inglese Basil Hume disse una volta ai suoi ascoltatori che, se pregassimo solo quando ci sentiamo di farlo, probabilmente non pregheremmo mai. Avrebbe potuto aggiungere che, se pregassimo solo quando crediamo di poterlo fare bene, ben difficilmente ci inginocchieremmo. Ritagliati del tempo per pregare perché oggigiorno è sempre più difficile trovare pace e serenità.

Molti hanno una vaga consapevolezza che qualcosa manchi nella loro vita, ma non sono sicuri di cosa si tratta. Si sente dire che, per i giovani in particolare, Dio è assente dalla loro esperienza, ma pare che tale mancanza non sia avvertita. Perciò, per iniziare questo tipo di preghiera, si potrebbero usare alcune immagini della natura. Il pensiero di un sorriso, di un volto familiare, di un tramonto, di un fiore che sboccia, della bellezza del cielo o del colore delle onde potrebbe forse aiutarti a trovare il luogo tranquillo che cerchi. Spesso è solo quando ci si allontana dal rumore e dalla confusione della vita quotidiana che ci si rende conto di quanto la serenità sia assente nella normale esistenza.

Ho capito questo qualche tempo fa, quando ho fatto un ritiro nella isolata regione irlandese del Donegal. Fin dal primo giorno del ritiro, il mio istruttore ha cercato di impartirmi una semplice lezione. Il giorno di apertura mi consigliò di rilassarmi e non fare nient'altro che riposare. Il secondo giorno mi consigliò di andare a passeggio lungo le scogliere della zona e guardare gli uccelli mentre costruivano il nido. Il terzo giorno, dopo le mie continue richieste di darmi dei brani delle Scritture su cui concentrarmi, il direttore del ritiro mi consigliò di sedermi sulla scogliera e di osservare il colore del mare. Il quarto giorno mi chiese quindi di passare la giornata guardando il cielo. Avrei dovuto concentrarmi sulle diverse forme assunte dalle nuvole mentre passavano. A questo punto del ritiro ero pronto a mettermi a urlare e reclamai che mi venisse fornito del vero e proprio materiale per la preghiera. Perfino allora il direttore del ritiro si mostrò riluttante ad aderire alla mia richiesta, benché alla fine accettasse di farlo. Ripensando ora a quell'esperienza, mi rendo conto che ciò che quel sant'uomo cercava di fare era convogliare un messaggio efficace. Aveva intuito che ero talmente avviluppato nelle preoccupazioni e nelle attività della vita quotidiana che avevo solo un bisogno disperato di tirarmi da parte e lasciare che la bellezza di Dio e della natura trovassero tempo e spazio nella mia vita. Non riuscì del tutto nei suoi piani, perché mi occorsero mesi e perfino anni prima che cominciassi a rendermi conto di ciò che egli aveva inteso fare. Forse avrei fatto maggiori progressi se fossi rimasto ancora qualche giorno in compagnia dei colori del mare e della forma che le nuvole assumevano nel cielo.

Il consigliere spirituale di cui parlo sapeva che la preghiera e il pregare hanno più di un formato. C'è più di una strada che conduce a Dio. Diamo uno sguardo ad alcune delle diverse vie che possono offrire la preghiera e la meditazione. Per prima cosa, possiamo dare un'occhiata a quello che viene chiamato metodo di meditazione ignaziano.

Ai gesuiti, all'inizio del loro cammino spirituale, viene insegnato il metodo di preghiera di sant'Ignazio di Loyola. Alcuni, bisogna ammetterlo, trovano questa forma piuttosto fredda e istituzionale. Coloro che partecipano a questo tipo di preghiera vengono incoraggiati a scegliere un passaggio dalle Scritture e, prima di iniziare propriamente a pregare, viene loro chiesto di annotare ogni argomento nel testo su cui sentono sarebbe importante concentrarsi. Quando iniziano, si richiede che visualizzino nella mente il luogo e i personaggi descritti. A questo punto, si può anche chiedere la grazia o il beneficio che si desidera. Talvolta sant'Ignazio, durante la preghiera, ricercava la varietà e usava una forma di esercizio di fantasia che lo assistesse mentre cercava di avvicinarsi a Dio. Oggigiorno molti guru spirituali orientali fanno lo stesso e alcuni degli esercizi di preghiera di Anthony De Mello fanno grande uso della fantasia e dell'immaginazione.

Oscar Wilde ha detto: «L'uomo non è veramente se stesso quando parla in prima persona. Dategli una maschera e dirà la verità». Una parte di questo principio viene impiegata nella preghiera di fantasia, perché spesso ci permette di percepire certe verità su noi stessi. Può anche incoraggiarci a esaminare il modo in cui interagiamo con gli altri, o a chiederci di guardare come cerchiamo di comunicare con Dio. Si deve fare ciò con totale onestà, onestà che sarebbe molto difficile ottenere se affrontassimo i vari argomenti direttamente. Parlando di pratiche di preghiera con i giovani, il gesuita americano Mark Link dice che, se cerchiamo di far uso del maggior numero possibile di sensi durante la preghiera, ciò fornirà un potente stimolo sia per indurre il rilassamento sia per dar vita a immagini. Così, egli incoraggia i suoi studenti a usare la vista, l'udito, l'olfatto, la temperatura, il tatto e le sensazioni interiori nella loro preghiera di fantasia.

Alcuni hanno paragonato le varie forme di preghiera di fantasia alla sensazione che si prova a essere in una barca a remi senza remi. Ti lasci trasportare dolcemente come su un tranquillo ruscello e permetti alla corrente di portarti dove vuole. Certe questioni emergeranno mentre ti fai strada nel tuo mondo di fantasia e potranno mostrarti la loro importanza. Man mano che la tua immaginazione ti fa muovere, cerca di rimanere calmo. Prendi nota delle questioni quando compaiono e lascia che la mente divaghi. Concedi tempo a Dio, e sii consapevole che stai pregando, ma senza sforzarti di mantenere eccessivamente l'autocontrollo. Lascia che la tua attenzione vada dove vuole. Può darsi che tu ti accorga di star pensando alle vacanze estive, oppure è possibile che tu ti ritrovi a compilare varie liste di cose da fare, o ancora che ti scopra a rivivere scene di un film o un'esperienza passata particolarmente significativa per te. Presta attenzione alla direzione in cui viaggia la tua mente e diventa conscio delle questioni che affiorano in superficie. Nell'intraprendere la meditazione di fantasia, chiedi a te stesso se questi suggerimenti stanno cercando di dirti qualcosa.

Sant'Ignazio di Loyola ha esteso questo uso dell'immaginazione e della fantasia alla preghiera con le Scritture. Egli ha suggerito di visualizzare una delle scene del Vangelo come se, per così dire, ci si ricordasse di un film o di un video. Lascia che l'azione abbia inizio nella tua mente e immaginati di recitare una parte nella storia. Diventa un personaggio del gruppo e inizia una conversazione con

Gesù o con uno degli apostoli, oppure con chiunque la tua immaginazione richiami alla mente. Immagina ora il tuo io di fantasia mentre parla con quella persona e vedi la persona risponderti. Uno dei modi in cui all'inconscio piace comunicare con la mente conscia è attraverso i sogni e le fantasie. La visualizzazione è uno strumento fondamentale della meditazione e molte tradizioni meditative, incluse quella cristiana e quella buddista, attingono da essa in gran quantità. Talvolta, durante la meditazione di fantasia, comincerai a comprendere più facilmente e più chiaramente le questioni vitali che ti hanno preoccupato e a cui vorresti dedicare più tempo. Quando questo accade, rimani per un poco là dove senti che si trova il frutto dell'intuizione. Non sforzarti di andare troppo a fondo, ma cerca di assorbire ciò che ti è stato donato, lasciando che la parte più saggia del tuo io lo comprenda. Questo tipo di preghiera di fantasia fornisce un modo sicuro per venire in contatto con i pensieri e con i sentimenti che altrimenti rimarrebbero inespressi. Ci mette in situazioni finte in modo che le esperienze che non possono essere affrontate facilmente nella realtà possono essere osservate tranquillamente in una sorta di simulazione. Prenditi tempo e resta tranquillo. Il silenzio che segue un esercizio di fantasia di gruppo può spesso rivelarsi serio e contemplativo. Se questo è il caso, non c'è bisogno di far ritornare il gruppo in attività troppo in fretta. Fai buon uso dell'atmosfera. Lascia che il silenzio raccolga la propria ricompensa.

Diversità e varietà negli stili di preghiera può a volte essere di aiuto. Alcuni si allontanano dallo stile di meditazione descritto precedentemente per rivolgersi a un tipo di preghiera che fa uso del mantra. Ciò produce un sentimento totalmente diverso. Con il metodo del mantra fai uso di una parola o di una locuzione, a volte presa dalle Scritture e altre volte no, a seconda di ciò che senti esserti più utile. La preghiera con il mantra è spesso usata in Oriente, particolarmente negli *ashram*, e ha una tradizione antichissima. Essa pone l'accento sull'importanza della disposizione dei suoni. I canti buddisti, gregoriani e di Taizé – diventati molto popolari in questi ultimi anni – sono dei buoni esempi di questa categoria di preghiera.

Al momento di iniziare, ti si chiede di sedere tranquillamente e ascoltare il mantra che risuona nella tua testa. Alcuni dicono che ci sono cinque condizioni essenziali affinché il metodo del mantra abbia successo:

- Il corpo deve essere comodo e immobile.
- È necessaria una certa quantità di calma interiore.
- La mente deve rimanere concentrata e non la si deve lasciar divagare.
- Il cuore deve essere in pace.
- Durante la preghiera ci si pone in attesa, con il cuore aperto, pazientemente e senza porsi delle aspettative.

Il mantra funge da punto di riferimento e aiuta a bloccare il flusso senza fine dei pensieri e delle distrazioni generati dalla nostra mente in stato di veglia. Alcuni centri orientali di meditazione insistono sull'importanza di condurre la mente al silenzio prima di tentare di ottenere risultati proficui. Essi asseriscono che, nella rumorosa cultura odierna, la riflessione è praticamente impossibile. Siamo bombardati da tutti i lati da rumore, disordine e confusione. Nello stato meditativo il meditante, attraverso un profondo silenzio, appunta idealmente la sua consapevolezza, attenzione e concentrazione su una sola cosa alla volta. Può concentrarsi sul respiro, oppure sulla candela, o su una particolare scena del Vangelo, o anche su un problema che da tempo riveste per lui grande importanza. Ciò viene definito l'oggetto della consapevolezza. Concentrandoci sulla respirazione, ad esempio, abbandoniamo pensieri, idee e sensazioni non appena ne diventiamo consci, e ritorniamo all'osservazione del respiro. In questo modo si riduce di molto il numero di segnali inviati al nostro cervello, permettendo così alla mente di adagiarsi in uno stato profondamente rilassato, ma anche molto vigile.

Al momento di concludere la meditazione, val la pena passare un po' di tempo riflettendo su come si è svolto per noi questo momento di preghiera. Noteremo forse che, talvolta o a un punto particolare della preghiera, siamo stati preda della distrazione. Ma ciò non deve meravigliarci. Una volta la famosa mistica spagnola santa Teresa d'Avila ha descritto la mente come un cavallo non ancora domato che vorrebbe andare ovunque piuttosto che nel luogo dove il padrone vuole che vada. Oggi sembra che l'indisciplina sia la regola. Un'altra immagine che ben descrive la mente è una classe indisciplinata piena di studenti determinati a disturbare qualsiasi cosa sulla quale l'insegnante desideri convogliare l'attenzione. In tali circostanze l'insegnante sa che si tratta di sedare una specie di ammutinamento e, per calmare queste azioni di disturbo, è necessario un lavoro lungo, difficile e condotto con coerenza. Gli studenti oppongono un rifiuto e cercano di farla franca, disprezzano e deridono. Fanno ostruzionismo a qualsiasi cosa si profili all'orizzonte. Con una gran quantità di abili trucchi essi cercano di distruggere la disciplina interna necessaria a mandare avanti la lezione. Cercheranno regolarmente di distrarre l'insegnante dal materiale che devono ripassare. Mostreranno disinteresse, noia, rabbia, ignoranza, o qualsiasi altro comportamento che può far loro raggiungere lo scopo desiderato. È necessario che l'insegnante sia risoluto, se vuole almeno riuscire a insegnare qualcosa di utile, e la stessa risolutezza è necessaria quando si ha a che fare con le distrazioni.

Lavorando con un gruppo di preghiera, l'istruttore deve sapere che, con molta probabilità, ogni tipo di distrazione verrà sperimentata. Antiche memorie, momenti importanti, o dolori passati saranno probabilmente presenti nella mente dei partecipanti. Mentre la mente esamina, identifica e raggruppa i momenti o i ricordi più significativi, è probabile che uno di essi in particolare si fissi con forza nella coscienza dei membri del gruppo. Quando la sessione giunge al termine, ogni partecipante può essere gentilmente incoraggiato a lavorare con l'intuizione avuta circa il futuro e applicarla al momento presente con serena consapevolezza.

Abbiamo iniziato questo capitolo con Madre Giuliana di Norwich, perciò concludiamolo ancora con lei. Madre Giuliana era un'anacoreta, un'eremita che viveva in una cella annessa a una chiesa di Norwich. La sua cella aveva due finestre. Una di queste si apriva direttamente nella chiesa stessa per permetterle di prendere parte a tutte le funzioni, mentre l'altra si apriva sul mondo esterno, così che le persone che cercavano consiglio o consolazione da lei potevano recarsi alla sua finestra. In questo modo, poteva mantenersi in contatto con la realtà circostante. Anche noi potremmo essere aiutati da quest'idea delle due finestre. Abbiamo bisogno di far coesistere i nostri due mondi, quello spirituale e quello materiale. La saggezza ci induce a mantenere l'equilibrio fra i due. È possibile che la meditazione ci sia d'aiuto in questo compito.

Esercizio Uno

Ascoltare i suoni

Siediti comodamente. Assicurati che il tuo corpo sia dritto e la tua spina dorsale in posizione eretta. Adesso apri le orecchie. Percepisci ogni suono che ti perviene, senza chiedertene l'origine. La tua mente deve essere fuori servizio. Solo le orecchie funzionano. Inizia con qualsiasi suono tu riesca a percepire, proveniente dall'esterno della tua stanza di preghiera. Scegli dapprima i rumori più forti e poi comincia lentamente a prendere conoscenza dei suoni più leggeri, man mano che arrivano al tuo orecchio. Dopo un po', presta attenzione all'interno della stanza e cerca di ascoltare ogni suono che ti è possibile sentire. Può trattarsi del suono di una musica di sottofondo, o del ticchettio di un'orologio, o dei rumori smorzati prodotti dagli altri discepoli mentre respirano o si muovono sulle loro sedie. Presta adesso attenzione ancora più all'interno. Cosa puoi sentire o ascoltare? Forse stai diventando consapevole del tuo stesso respiro, o del battito del cuore all'interno del tuo corpo, oppure puoi diventare conscio dell'aria fresca mentre entra ed esce dalle tue narici. Cerca di rimanere passivo, come una radio che raccoglie suoni dalle onde che vagano nell'aria. Potresti trovar piacevole ricordare che in ogni tuo respiro è contenuto il dono della vita. Senza l'amore di Dio, cesseresti semplicemente di esistere. Nell'inspirare ricevi il grande onore della vita. Nell'espirare, rendi grazie per averlo capito.

Quando hai concluso la meditazione, emergi lentamente dall'esercizio e riallacciati alla realtà facendo dapprima attenzione ai suoni che provengono dal tuo interno. Lasciati quindi condurre verso l'esterno dai suoni nella stanza, e poi ancora più all'esterno verso i suoni che provengono da fuori, prima di ritornare al tempo e al luogo in cui hai iniziato l'esercizio.

Esercizio Due

Come sviluppare la tua immaginazione creativa

In molte delle meditazioni creative o degli esercizi di fantasia di cui facciamo uso potrà essere utile seguire le seguenti direttive. Dopo che i partecipanti si sono rilassati per mezzo di uno degli esercizi preparatori, chiedo loro di immaginare una scena. In altre parole, devono sviluppare o disegnare la storia nella loro mente. Fai una prova con te stesso cercando di immaginare un bocciolo di rosa. Nella mente cerca di vedere il bocciolo mentre si apre e osservalo fino alla completa fioritura. Osserva il colore dei petali e immagina la loro morbidezza. Appena quest'immagine si è ben fissata nella tua mente, vedi quali altri particolari puoi aggiungere alla rappresentazione. Più usi la tua immaginazione creativa, più vivida diviene l'immagine. Odora la rosa. Osservane il colore. Percepiscine la consistenza. Tocca – nella tua mente – la morbidezza dei petali. A volte, altri elementi possono manifestarsi nella tua immagine. Potresti percepire le foglie, le radici, le spine o il terreno.

Mentre rifletti sull'esercizio di fantasia, puoi capire come alcuni o tutti gli elementi contenuti nella scena stiano cercando di dirti qualcosa della tua vita. L'uso dell'immaginazione in questa maniera la farà diventare uno strumento da usare nella preghiera. Concludi questo esercizio semplicemente lasciando che l'immagine si dissolva.

Devo sottolineare che molte persone variano moltissimo nella loro capacità e nella fiducia in se stesse, quando si tratta di usare l'immaginazione. Alcune asseriscono di incontrare grosse difficoltà quando cercano di immaginare una qualsiasi cosa. Dicono infatti di non possedere assolutamente alcuna immaginazione. Ma non credo che questo sia vero per nessuno. D'altro canto, ho conosciuto persone che hanno una capacità di fantasticare talmente straordinaria che non si dovrebbe permettere loro di uscire in una notte oscura!

Esercizio Tre

Il disco bianco

Il seguente esercizio renderà più arguta la tua immaginazione e ti aiuterà a visualizzare senza sforzo.

Immaginati mentre tieni in mano un disco bianco. Scrivi il tuo nome sul disco e lancialo su nel cielo. Osservalo mentre sale, finché resti accecato dalla luminosità del cielo. Il disco scompare dalla tua vista. Quando guardi di nuovo in alto, vedi un uccello bianco che si innalza sopra di te. Osserva l'uccello nel cielo. Qualcosa sta cadendo dal cielo verso di te. Protendi la mano per raccogliere un uovo di cristallo. L'uccello è sparito dalla vista. Quando guardi il cristallo più attentamente, vedi che al suo interno è incisa l'immagine di un uccello bianco. Alla fine della meditazione di fantasia, esamina cosa ha portato alla superficie la tua immaginazione, in quanto ciò potrebbe essere un mezzo potente per imparare qualcosa di te stesso. Similmente alle storie del Vangelo, questo potrebbe essere un mezzo per permetterci di capire a che punto siamo nella nostra vita. Il nostro subconscio si mette al lavoro se siamo svegli e pronti a capire che ciò che esso suggerisce si riferisce a noi.

Quando termini la sessione, inspira profondamente fino al plesso solare ed espira profondamente con un forte sospiro per due o tre volte. Massaggia le spalle, la schiena e le gambe per aiutarti a rientrare nella terra dei vivi. Sii gentile con il tuo corpo. È la tua dimora permanente.

Esercizio Quattro

Vangelo di san Giovanni

(Gv 20, 11-18)

Maria di Magdala riconosce Gesù

Maria invece stava all'esterno vicino al sepolcro e piangeva. Mentre piangeva, si chinò verso il sepolcro e vide due angeli in bianche vesti, seduti l'uno dalla parte del capo e l'altro dei piedi, dove era stato posto il corpo di Gesù. Ed essi le dissero: «Donna, perché piangi?». Rispose loro: «Hanno portato via il mio Signore e non so dove lo hanno posto».
Detto questo, si voltò indietro e vide Gesù che stava lì in piedi; ma non sapeva che era Gesù. Le disse Gesù: «Donna, perché piangi? Chi cerchi?». Essa, pensando che fosse il custode del giardino, gli disse: «Signore, se l'hai portato via tu, dimmi dove lo hai posto e io andrò a prenderlo». Gesù le disse: «Maria!». Essa allora, voltatasi verso di lui, gli disse in ebraico: «Rabbuni!», (che significa: Maestro!) Gesù le disse: «Non mi trattenere, perché non sono ancora salito al Padre; ma va' dai miei fratelli e di' loro: Io salgo al Padre mio e Padre vostro, Dio mio e Dio vostro».
Maria di Magdala andò subito ad annunziare ai discepoli: «Ho visto il Signore» e anche ciò che le aveva detto.

Per introdurti in questa meditazione, usa uno degli esercizi preparatori come, ad esempio, quello che ti aiuta a prendere coscienza del tuo respiro o quello in cui ascolti i suoni intorno a te.

Per prima cosa leggi questo passo del Vangelo. Non appena ti senti pronto, comincia a comporre la scena. Immagina Maria di Magdala e la situazione in cui si trova a vivere. Ha subito dei grandi sconvolgimenti nella sua vita e solo recentemente ha cominciato a intravedere la possibilità di un raggio di luce fra le nubi. L'incontro con Gesù ha dato colore a ogni cosa. Le è sembrato che Egli fosse la risposta. È apparso come Colui che può dare significato alla sua esistenza. E adesso tutta questa speranza le è stata strappata via con violenza. La solitudine, l'abbandono, il dolore e il rimorso non tarderanno a tornare. Conosce troppo bene le proprie debolezze. Ciononostante attende presso la tomba, benché la veda vuota. Che cosa la trattiene là? Quale minuscolo bagliore di speranza persiste ancora? Sia l'apparizione di Cristo sia la percezione della sua presenza si manifestano lentamente. Il momento è quasi in chiave minore. La rivelazione è molto ordinaria. Colei che era una delle persone più vicine a Lui durante la sua vita, ha ora difficoltà a riconoscerLo.

Paragona adesso questa scena alla tua vita. È possibile che Cristo sia vicino a te senza che tu te ne accorga? Sta forse cercando di rendere nota la sua presenza e il suo sostegno nella tua vita e, se è così, anche qui incontra degli sguardi ciechi?

Prima di terminare, prega di poter comprendere dove è possibile che Cristo sia attivamente presente nella tua vita.

Esercizio Cinque

Meditazione su tre desideri

Sistemati nel tuo luogo di meditazione e inizia concentrandoti sulla respirazione. Inspira profondamente, fai una pausa, e quindi espira. Sii conscio di come i tuoi polmoni si espandano durante l'inspirazione e di come lo stomaco si riempia d'aria. Osserva come, dopo l'espirazione, sia i polmoni sia lo stomaco si contraggono. Ripeti di nuovo. Inspira, fai una pausa, espira. Ancora una volta inspira, fai una pausa, espira. A ogni inspirazione, chiedi di essere colmato dalla pace di Cristo. Mentre espiri, chiedi che i tuoi timori e le tue preoccupazioni vengano allontanati da te. Ascolta il suono del respiro mentre entra nel tuo corpo.

Immagina ora che ti siano stati concessi tre desideri. Uno di essi è per te, uno per un amico e un altro per il mondo. Prima di iniziare la meditazione, decidi quali saranno questi tre desideri. Inizia ora a prendere in considerazione la lista dei tuoi desideri. Cosa desideri veramente per te stesso? Perché e in che modo questo desiderio renderebbe diversa la tua vita? Chiedi che esso ti venga concesso. Rivolgi ora l'attenzione al tuo amico. Chi hai scelto? Perché? Cosa hai chiesto per lui? Che differenza credi che questo comporterà? Pensa infine al mondo. Quale preghiera rivolgi al Padre in suo nome?

Quando hai finito, ascolta di nuovo il suono del tuo respiro. Rendi grazie per i doni che hai chiesto e che speri di ricevere.

5
LA PREGHIERA NON HA ETÀ

> Ho mangiato a sazietà, eppure ho ancora fame. Cosa significa questa fame più profonda nel mio cuore?
>
> *Alfred Noyes*

La scorsa estate ho visitato la parte settentrionale dell'Arizona e, nel corso di questo viaggio, ho incontrato alcuni indiani hopi. Sembra che nella loro tribù esista una cerimonia di iniziazione per i giovani fra i diciotto e i venticinque anni. Secondo loro, tale cerimonia segna il passaggio fra l'adolescenza e l'età adulta. Al centro di questa cerimonia di iniziazione ci sono tre simboli sacri. Si tratta di statue di legno raffiguranti esseri umani. Gran parte dei membri della tribù sentono che, senza queste immagini, la cerimonia sarebbe falsa e inaccettabile. Mi hanno raccontato che alcuni anni fa le statue furono rubate. Senza di esse la cerimonia non poteva avere luogo. Quando venne chiesto a uno degli anziani della tribù perché non se ne intagliassero altre tre in sostituzione di quelle rubate, questi rispose: «Voi non capite. Non si tratta solo dell'importanza dei vecchi pezzi. Il fatto è che sospettiamo che un membro della nostra tribù li abbia rubati e venduti per soddisfare il suo vizio di bere. In questo modo, ci sembra che un nostro diritto ereditario sia stato venduto. Non ci può essere niente di peggio. Se un indiano hopi può sacrificare l'essenza stessa del suo popolo per denaro, allora i nostri valori spirituali hanno perso la loro importanza. Il popolo hopi sparirà perché non è stato in grado di conservare i valori e le tradizioni che una volta considerava essenziali. Come altre culture spirituali che sono andate distrutte, anche noi siamo arrivati ad accettare come ogni cosa abbia un prezzo, perfino la nostra anima».

Chiunque abbia dimestichezza con gli spostamenti e i cambiamenti della scena culturale irlandese nell'ultimo decennio, avvertirà che nella storia degli indiani hopi c'è qualcosa di familiare. Anche noi, in Irlanda, in un breve lasso di tempo, abbiamo visto avvenire nel nostro Paese un cambiamento che l'ha reso pressoché irriconoscibile. Se la tua vita o il tuo lavoro ti porta nelle scuole o ad avere comunque a che fare con l'educazione dei giovani, vedrai come questi ti sfidano quasi giornalmente. Ecco un esempio. Un'inchiesta condotta nel 1999 in una scuola di Dublino ha rivelato che il 73% degli studenti più grandi aveva un lavoro part-time, il che significava che, in un certo senso, potevano essere considerati studenti part-time. Il fatto di avere un lavoro comportava il possesso di un buon reddito. Questo a sua volta dava indipendenza e libertà anche a coloro che solo una generazione fa non si sarebbero mai sognati di poterle ottenere. Gli stessi studenti dichiararono di volere una bella vita e di volerla adesso. Il mio timore è che, nel volere tutto e subito, essi – come gli indiani hopi – arrivino a perdere di vista i valori più profondi. Potrebbero arrivare a perdere la capacità di identificare quello che garantisce felicità sia a loro sia a quelli che sono loro vicini. Sembra che non si rendano assolutamente conto di questo pericolo. Gli anziani della tribù hopi sapevano che la storia e la cultura avevano dato loro un dono – molto difficile da toccare – ma non di meno una perla di grande valore. Anche l'Irlanda aveva per secoli avuto il dono di qualcosa di bello e di mistico. Sembra che la gente avesse una naturale capacità di apprezzare la fede che era stata loro tramandata. Nelle indagini che sono state fatte e su cui mi sono documentato, appare evidente che il ricco filone della fede ci ha reso uno dei popoli più appagati d'Europa. Se permettiamo che questo retaggio ci scivoli via tra le dita senza renderci conto di ciò che sta accadendo, sarà poi un lavoro colossale cercare di ricuperarlo.

Chiunque osservi i giovani irlandesi oggi potrebbe essere portato a chiedersi: «La fede per i giovani irlandesi è volata forse dalla finestra? C'è ancora qualcuno che prega?». Queste domande mi si sono presentate alla mente ben due volte negli ultimi mesi. La prima volta accadde quando mi fu chiesto di condurre una funzione per la prima confessione in una parrocchia vicina. Man mano che i giovani venivano avanti per fare la confessione, diedi loro da recitare il Padre Nostro come penitenza. Non ci volle molto ad accorgermi che stavo pattinando su del ghiaccio molto sottile. L'espressione confusa che apparve sui loro volti mentre tornavano al loro posto mi fece sospettare che il Padre Nostro fosse una preghiera con cui non avessero familiarità. La seconda volta fu per qualcosa che accadde alcune settimane dopo. Stavo conducendo una funzione di meditazione nella mia scuola per alcuni tredicenni, quando uno degli studenti mi chiese cosa fosse la buffa cassetta nell'angolo. Quando gli risposi che si trattava del tabernacolo e che conteneva l'Eucaristia, la sua domanda seguente fu: «Che cos'è l'Eucaristia?».

Sembra che i giovani non vadano più a messa con regolarità e che, anche quando lo fanno, trovino l'intera faccenda inutile e poco affascinante. La Chiesa istituzionalizzata non ha per loro una grande attrattiva. Tuttavia, si riscontra un fatto strano quando viene loro chiesto se credono ancora in Dio e se hanno fede. La maggior parte risponde che sanno che esiste Dio e che pregano. Hanno anche un gran desiderio di creare uno spazio sacro nella loro vita, anche se non è proprio così che lo chiamano. A prima vista, sembra che Dio sia assente e che non ne sentano la mancanza, ma la volontà e perfino la brama dei giovani di partecipare alla meditazione indicano qualcosa di diverso. Può essere il segno che i principali riti delle Chiese istituzionali non forniscono più nutrimento spirituale. Tali Chiese sembrano anche non soddisfare più i desideri e le fratture che esistono nel loro intimo. C'è tuttavia un elemento di ricerca e di desiderio che può essere perseguito con un certo tipo di preghiera.

Al momento presente c'è confusione fra i giovani, ma esiste anche una ricerca. Un proverbio del Kenya dice: «Tratta bene la terra. Non te l'hanno data i tuoi genitori. Ti è stata prestata dai tuoi figli». Si può dire lo stesso per la nostra fede, ma ciò fa paura agli anziani fedeli irlandesi. Essi credono di aver ricevuto qualcosa di molto prezioso dai loro antenati, che non era solo per loro, ma che doveva essere trasmesso alle generazioni successive. Il loro unico problema è che essi non sanno come trasmetterla e credono che il dono che desiderano fare non sia ben accetto alla loro discendenza.

Non molto tempo fa, gran parte dei giovani irlandesi proveniva da famiglie in cui era presente una fede viva e dove la parrocchia locale significava qualcosa. Quasi tutti conoscevano i preti della parrocchia e questi preti, a loro volta, conoscevano quasi tutti. Inoltre, la maggior parte degli studenti partecipava regolarmente alla messa. Adesso non è più così. La messa settimanale nella parrocchia locale è una tradizione che sta scomparendo. Per molti ha perduto il suo significato. L'ultima volta che molti studenti hanno fatto la santa Comunione è stato al momento della Cresima. La struttura della parrocchia fa affidamento adesso su occasioni speciali come nascite, morti, Natale o matrimoni per attirare i giovani in chiesa, perché in questi momenti essi sperimentano un sentimento di appartenenza. Nella normale liturgia della domenica si annoiano e non partecipano. Non sono più attratti dalle vecchie strutture. È come il caso delle vecchie otri che non fanno più bene il loro lavoro. I giovani sono, e si sentono, dei virtuali estranei in chiesa. Le parole della canzone degli U2 «Non ho ancora trovato cosa sto cercando» riassumono in parte il loro dilemma, ed esistono ragioni fondate per questo loro sentirsi alienati e confusi. La cultura in cui si trovano a vivere può non essere orientata verso la necessità di fornire loro risposte oneste alle loro domande e alle loro difficoltà. Si tratta di una cultura pilotata. Guardandola a distanza, mi ricorda una lavatrice. Tutto viene rimestato a grande velocità. C'è una grande quantità di rumore, di movimento e di confusione, ma pochissima chiarezza. Oggigiorno una delle principali preoccupazioni della cultura è quella di separare i giovani dal denaro. A questo scopo, fornisce il minor tempo possibile per il silenzio e per la riflessione. Se concedesse più tempo per la riflessione, correrebbe un grosso rischio: che i suoi clienti si accorgessero di essere nutriti di pop-corn, che è saporito nel momento in cui lo mangi ma che, in definitiva, lascia insoddisfatti. Ti rimpinza, ma non ti dà alcun nutrimento. Poco dopo aver consumato il tuo pasto, ti senti di nuovo affamato.

Gli studenti nella scuola in cui insegno hanno un'espressione che ripetono sempre: «Dov'è il ronzio?». Questa frase riassume l'indecisione in cui si trovano. Sembra che abbiano costantemente bisogno di un'attività frenetica intorno a loro. Il silenzio o la serenità sono difficili da trovare. Se lasciassero spazio nella loro vita per la tranquillità, potrebbero scoprire che è riposante, rasserenante e rinfrescante, e forse anche apportatrice di energia. È interessante il fatto che i ritiri di meditazione includano quasi sempre dei periodi di riposante silenzio. Paragona ciò con i moderni metodi adottati nei negozi, negli uffici e perfino dalle compagnie telefoniche. Queste hanno adesso preso l'abitudine di riempire con del rumore ogni momento disponibile. Alcuni fanno deliberatamente uso della radio e della televisione allo stesso scopo. Tu potresti forse provare qualcosa di diverso. Cerca di praticare un po' di silenzio ogni giorno al posto del rumore. Spesso gli studenti trovano che questa pratica ha un effetto calmante. Il risultato potrebbe essere lo stesso per te.

Da alcuni dei succitati commenti, si potrebbe desumere che i giovani irlandesi non sono più interessati alla fede. Si avrebbe un'ulteriore prova di questo facendo riferimento a un'inchiesta inglese del 1997, che stabiliva esserci stato un calo del 25% nella frequentazione della chiesa negli ultimi venticinque anni. Se visitassi infatti molte chiese irlandesi durante la liturgia domenicale, saresti immediatamente colpito dall'assenza di giovani dai quindici ai venticinque anni alla funzione. Il quadro non è troppo roseo.

Ma pensare che la religione sia del tutto morta e seppellita sarebbe eccessivamente pessimistico. I giovani vi restano ancora attaccati. I loro legami con la Chiesa istituzionalizzata possono essersi drasticamente indeboliti, ma il loro interesse nella preghiera è ancora notevole. Ciò si applica specialmente al tempo strutturato per una tranquilla riflessione, o per la preghiera di fantasia, che sia basata sulle Scritture o meno. In una ricerca del 1995 condotta fra gli studenti di Oxford e Cambridge per scoprire che parte avesse la religione nella loro vita, è risultato che la persona che più ammiravano era Gesù. La Bibbia era il libro più letto. Questo potrà sorprendere, ma lo stupore sarebbe anche dovuto ai commenti fatti dai principali personaggi politici inglesi del tempo. Fu chiesto ai capi dei tre più importanti partiti politici quale fosse la loro posizione nei riguardi della fede. Le loro risposte sono illuminanti.

L'allora primo ministro, John Major, disse: «Sono credente. Non pretendo di capire tutte le complesse parti della teologia cristiana, ma semplicemente le accetto».

Il neo eletto primo ministro, Tony Blair, fu meno diretto: «Sono stato educato come un cristiano, ma non sono mai stato un vero cristiano praticante finché non andai a Oxford. Allora cominciai a capire il mondo».

Quando fu chiesto a Paddy Ashdown, leader del partito liberale, di esprimere la sua opinione, disse: «Mi considero cristiano. Prego tutte le sere, ma mi sento a disagio se qualcuno mi chiede se sono protestante o cattolico».

Anche in America i segnali che la fede è ancora viva non sono meno concludenti. In un rapporto Gallup del 1992 sulle abitudini di fede negli USA, fu scoperto che il 57% degli americani prega tuttora ogni giorno. Questi risultati sono più positivi di quanto gran parte di noi si sarebbe aspettato.

Può darsi quindi che Dio stia alla porta del cuore di ciascuno e che bussi. Alcuni non sentono bussare, altri solo quando invecchiano, altri ancora sentono un debole rumore, ma non rispondono perché hanno paura. Temono che, se lasciassero entrare Dio nella loro vita, potrebbero perdere la possibilità di essere felici e di godersi la vita. Ciò di cui non si rendono conto è che è proprio Dio la felicità che stanno cercando. Un proverbio del Mozambico afferma: «Il mio cuore è come un albero che cresce bene solo dove si sente a casa». Forse ci siamo distaccati dalle nostre radici. La cultura del pop-corn ci incoraggia a dimenticare le parole e il pensiero di sant'Ignazio di Loyola: «L'umanità è stata creata per lodare, riverire e servire Dio nostro Signore, ed è in questo modo che raggiungeremo il nostro fine».

I giovani di oggi sono alla ricerca di significato, ma per loro è difficile distinguere l'oro autentico da quello contraffatto. E non riescono neppure a percepire con facilità cosa stia succedendo all'interno di loro stessi perché la società, con la sua confusione, scoraggia la riflessione e offre pochissimo spazio alla pace. Ci vogliono tempo e pazienza per giungere a capire se il proprio stile di vita individuale produca consolazione oppure desolazione. È necessario capire e chiedere l'aiuto degli altri. Fino a poco tempo fa, i giovani avevano abbastanza fiducia nella saggezza e nell'integrità dei loro anziani, e si rivolgevano a loro quando avevano bisogno di consiglio. Ma ora non è più così, e ci sono delle buone ragioni. Dicono che in America la guerra del Vietnam e il caso Watergate abbiano segnato dei momenti di cambiamento drastico. La gente ordinaria, e i giovani in particolare, hanno considerato immorali ambedue gli eventi. Hanno visto degli imbroglioni e dei bugiardi in posizioni dirigenziali e ciò ha fatto dire loro: «Passaci sopra, a nessuno importa più niente, perché dovrei preoccuparmi? Perché dovrei ascoltare chi è al potere? Perché dovrei cercare la guida dai capi?». Se guardiamo sia alla Chiesa sia allo Stato in Irlanda in anni recenti, vedremo apparire qua e là degli schemi simili, e potremo così capire perché fra i giovani si è manifestato un profondo cinismo.

Poiché i valori sono cambiati e sono diventati meno idealistici, molti hanno notato in Irlanda l'emergere di un'economia della tigre e di stile celtico, e contro di essa puntano un dito accusatore. Parlano di una mentalità «Mé Féin», dove ognuno pensa prima a se stesso. Può darsi che abbiamo permesso alla nostra cultura di diventare una cultura in cui le regole sono quasi uguali a quelle adottate nella corsa ciclistica a circuito denominata «Il diavolo prenda l'ultimo». In questo sport i concorrenti partono sulla propria bicicletta per completare un certo numero di giri di pista. Quando attraversano la linea di partenza-arrivo su ciascun circuito, il corridore più debole o lento viene tagliato fuori dal gruppo ed eliminato dalla gara. Va avanti così giro dopo giro, finché solo il più forte ce la fa. È un ambiente duro e crudele e per niente ispirato al Vangelo. Ha poco tempo per il credo cristiano che considera santi e benedetti coloro che si prendono cura dei più deboli fra noi. Alcuni credono che un tale insegnamento sia obsoleto, ma mi auguro abbiano torto. Può funzionare ancora nel mondo reale.

Di recente, in una scuola medica americana, l'ambiente era altamente competitivo e gli studenti sentivano che, se volevano sopravvivere, dovevano ottenere agli esami un punteggio superiore a quello dei loro compagni. Al fine di raggiungere ciò, pensavano che qualsiasi maniera che potesse dare loro un vantaggio fosse accettabile. Poi, un giorno, i professori dissero che era sufficiente raggiungere un determinato standard per essere promossi. Non importava quale percentuale raggiungesse il livello richiesto. Se gli studenti l'ottenevano, sarebbero andati avanti. Con queste nuove informazioni che circolavano, gli studenti adottarono nuovi metodi. Si organizzarono in piccoli gruppi, lavorando insieme per completare il corso. Lavoravano per se stessi, ma anche per il gruppo. Dopo breve tempo si notò che lo spirito cooperativo di gruppo faceva sì che gli studenti studiassero di più, e una percentuale maggiore superava ogni anno gli esami. Lavorare da soli e preoccuparsi solo di se stessi significava lottare. Concentrarsi sul successo del gruppo e sul progresso del vicino, invece, portava la propria ricompensa.

Il clima odierno può spingere i giovani a ignorare i segnali dello spirito che sono intorno a loro. Se è così, c'è bisogno che le parti più mature della popolazione incoraggino ancora di più i giovani nel loro viaggio verso la fede. Se non lo facciamo, la mentalità secolarizzata avrà la meglio su di loro. Sono stato particolarmente colpito da questa possibilità qualche tempo fa, mentre camminavo in una strada di Dublino ricca di negozi, durante il periodo natalizio. In una vetrina, i tre magi[1] erano raffigurati nel loro viaggio verso il bambino Gesù, ma un quarto personaggio era stato aggiunto alla scena. Un cartello nella vetrina diceva: «Ed ecco che arrivò un quarto sapiente, e questi era il più saggio di tutti perché indossava i Levi's 501». La mentalità secolarizzata ci circonda e minaccia di sommergerci. A volte quasi disperiamo che certi valori riescano a sopravvivere. Nel corso dei secoli, la Chiesa è di tanto in tanto sembrata essere sull'orlo dell'estinzione. Sembra che stia per morire, e neppure troppo gloriosamente. Poi, proprio quando si pensa che stia per crollare, mostra una ripresa. Perché mai? Può darsi che sia perché abbiamo un Dio che sa come risor-

[1] Magi: in inglese *wise men*, letteralmente "uomini saggi" (N.d.T.).

gere dal sepolcro, un Dio che ha detto: «Non temete, io sono sempre con voi».

È indispensabile trovare dei modi di pregare Dio adatti ai giovani. Martin Buber usava dire che niente maschera il volto di Dio quanto la religione, e sembra che i nostri giovani dicano oggi la stessa cosa. È Dio che essi rifiutano o la forma di comunicazione con Dio che è stato chiesto loro di accettare? Conosco un uomo che ha visitato un monastero cartusiano sperando di avvicinarsi a Dio. Man mano che la sua visita continuava, notò un monaco in particolare che sembrava irradiare una specie di serenità interiore. Il mio amico volle un colloquio con il monaco e gli chiese consiglio su come poter pregare meglio. L'eremita lo guardò e disse: «Prega verso l'interno, non verso l'alto». Credo che con questo egli intendesse dire che dobbiamo cercare di trovare Dio all'interno di noi stessi, invece di cercare il soprannaturale in qualche luogo lontano.

Ai più giovani piace sapere che l'unione con Dio può essere sperimentata non solo nella preghiera ma anche nell'azione. Se non trovano nutrimento spirituale nei vecchi metodi, sarebbe forse meglio insegnare loro come esplorare nuove vie. Ciò andrebbe particolarmente bene per la popolazione scolastica. Perfino gli studenti che tendono a schivare la preghiera diretta con Dio, sono più che pronti a gettarsi nella fede che si manifesta con l'azione. Si può notare quanto siano popolari, ad esempio, le visite natalizie agli ospedali per bambini, dove gli studenti possono portare dei doni ai pazienti ammalati. Nello stesso modo si hanno sempre molte richieste da parte dei giovani che si offrono volontari per lavorare con i

malati nella loro zona o a Lourdes. Forse tali volon
non vanno alla messa così spesso come vorremm
può anche darsi che per loro la liturgia abbia be
poco significato. Quando tuttavia si chiede loro di fare qualcosa di buono e di pratico per gli altri, si offrono immediatamente come volontari. Perché? Perché ciò crea in loro una sensazione di bontà. Rabbi Nahnam di Bratislava usava dire che Dio sceglie una persona con un grido, un'altra con una parola, una terza con un sussurro. Chiediamo ai giovani di pregare solo come possono, e non come non possono. Poiché la cultura giovanile cambia rapidamente, e i giovani sono sempre più delusi dai vecchi modelli di culto, ci sarà impossibile fornir loro ispirazione se insistiamo a voler far entrare dei blocchi quadrati dentro dei fori rotondi. Le circostanze cambiano, e così pure le necessità. Non è perciò sorprendente che anche le tecniche di preghiera abbiano bisogno di essere trasformate.

Esercizio Uno

Come trattare con le distrazioni

Cerca di restare immobile e ricomponiti. Chiudi gli occhi e inspira con calma e profondamente. Quando i tuoi polmoni si sono espansi, trattieni il respiro contando fino a quattro. Quindi espira in modo controllato fino a che i tuoi polmoni si sono svuotati completamente. Anche per questo conta fino a quattro.

ti l'esercizio almeno sei volte. Dopo un po', la tua spirazione avrà acquistato un ritmo preciso, che eve essere sia regolare sia ritmico. Continua a respirare normalmente, rimanendo concentrato sul processo e sul suo ritmo.

Quando ti senti pronto, immaginati con gli occhi della mente mentre osservi la superficie di uno stagno. Sulla superficie cominciano a formarsi delle increspature. Lascia che le increspature partano dal centro allargandosi all'intorno. Esse creano un proprio movimento e un certo disturbo. Dà loro tempo e vedrai che a poco a poco spariranno. Se, d'altra parte, cerchi di combatterle o di fermarle, peggiorerai la situazione. Creerai altre increspature.

Continua a osservare, nella tua mente, finché la superficie dell'acqua diventa tranquilla. Puoi adesso iniziare a esaminare cosa giace al di sotto della superficie. L'acqua è il simbolo della tua mente inconscia. Quando i pensieri superficiali si sono acquietati, puoi vedere nelle profondità dell'acqua. Questo permette a ciò che esiste nel subconscio di venire in superficie. Comincia a rivelarti i suoi segreti. La mente non è mai semplicemente vuota. È piuttosto come un vuoto pneumatico. Non appena si svuota, qualcosa arriva per riempirla. Questo qualcosa potrebbe essere una meschina distrazione oppure un'intuizione personale molto più profonda. Cerca di far sì che sia un'intuizione profonda.

Dopo questo esercizio, rifletti su come ti sentivi mentre lo eseguivi. Una buona regola è quella di continuare se senti che va bene per te e se ti fa stare su. Se invece è vero il contrario, sospendine per il momento l'esecuzione.

Esercizio Due

Esercizio per aiutare l'immaginazione

Prendi un punto sulla tua manica e comincia a lisciarlo lievemente con la mano. Percepisci la sensazione. Continua per un minuto o due, e prova poi con un metodo diverso. Invece di usare il senso del tatto, guarda soltanto la stoffa per la stessa durata di tempo. Guardala veramente. Assimilala con gli occhi.

Gran parte delle persone trovano una grande differenza fra le due esperienze. Con il senso visivo si tende a usare le parole per descrivere la sensazione. In questo modo si traduce l'esperienza in linguaggio. Con il senso tattile – cioè strofinando e toccando – si ha la tendenza ad accettare l'esperienza a livello non verbale. Ci si limita cioè a percepire ciò che si sta facendo.

Noterai che, quando ti limiti a guardare la stoffa della manica, molti altri pensieri ti vengono in mente. Potrai, ad esempio, cominciare a percepire la trama della stoffa e sentirne l'odore. Potresti anche cominciare a pensare al luogo da cui la stoffa proviene o al suo colore. Ogni volta che la tua mente divaga o è distratta dal semplice guardare, riportala gentilmente al proprio compito. Più e più volte ti accorgerai di star divagando. Altri pensieri emergeranno. Quando noti che ti sei allontanato dal compito preciso che ti sei assegnato, delicatamente riporta te stesso al punto di partenza.

Esercizio Tre

Vangelo di san Luca

(Lc 17, 11-19)

Lo straniero riconoscente

Per prima cosa leggi la storia.

Durante il viaggio verso Gerusalemme, Gesù attraversò la Samaria e la Galilea.
Entrando in un villaggio, gli vennero incontro dieci lebbrosi i quali, fermatisi a distanza, alzarono la voce, dicendo: «Gesù maestro, abbi pietà di noi!». Appena li vide, Gesù disse: «Andate a presentarvi ai sacerdoti». E mentre essi andavano, furono sanati. Uno di loro, vedendosi guarito, tornò indietro lodando Dio a gran voce; e si gettò ai piedi di Gesù per ringraziarlo. Era un Samaritano. Ma Gesù osservò: «Non sono stati guariti tutti e dieci? E gli altri nove dove sono? Non si è trovato chi tornasse a render gloria a Dio, all'infuori di questo straniero?». E gli disse: «Alzati e va', la tua fede ti ha salvato!».

Adesso sistemati, fai uno degli esercizi preliminari e componi la scena. Poniti in mezzo ai lebbrosi. Immagina la devastazione. Pensa a cosa abbia significato in quei tempi per i lebbrosi e per le loro famiglie accorgersi di essersi ammalati. Immaginali quando andavano a vivere in quel posto orribile e che tipo di vita devono aver vissuto là. Evitati e disprezzati da tutti, toccava loro aspettare la fine in mezzo alla degradazione e alla miseria. Evoca adesso in te la sensazione che devono aver provato questi lebbrosi il giorno che hanno sentito che Gesù stava recandosi verso il luogo in cui vivevano. Cosa mai può averli decisi a fare a Gesù la loro richiesta? È stata pura disperazione oppure un'ispirazione dello Spirito Santo? Cerca di chiedere a te stesso cosa potrebbe spingerti in simili circostanze. Ti aggregheresti anche tu perché gli altri stanno andando? Cercheresti di restare in fondo al gruppo, sperando di passare inosservato? Oppure credi che avresti potuto essere tu a dirigere l'impresa? È possibile che proprio tu abbia spinto gli altri a raccogliere almeno il coraggio di formulare la richiesta? Cosa avresti avuto da perdere? Spostati ora al momento della rivelazione. Come pensi che sia tu sia gli altri vi siate resi conto di essere stati guariti? Quali erano i sentimenti del gruppo? Chi fra tutti è tornato indietro per ringraziare? Sei stato tu?

Passa ora un po' di tempo a riflettere sulle volte in cui, nella tua vita, ti sei sentito sconsolato e senza speranza. Hai trovato l'energia per chiedere aiuto? E se alla fine hai ricevuto un aiuto, sei tornato indietro a ringraziare?

Termina con una breve preghiera di ringraziamento per tutto ciò che ti è stato dato.

6
GENESI DELLA PREGHIERA

La mia fine è la disperazione, a meno che io non venga sollevato dalla preghiera.

Shakespeare, La tempesta

Lavoro in una scuola in cui alcuni mesi fa è accaduta una cosa terribile: una delle nostre studentesse più grandi, mentre tornava a casa, è stata investita da un'automobile ed è rimasta uccisa. Come si può ben immaginare, l'effetto su tutta la scuola, e in particolare sui suoi compagni di classe, è stato traumatico.

Al fine di aiutare a trarre un po' di conforto e speranza da questa tragedia, un collega mi suggerì di narrare durante l'omelia funebre la seguente storia. Si racconta che nella parte occidentale dell'Irlanda vi sia un laghetto magico nel quale si era stabilita una famiglia di larve. La famiglia era formata dal padre, dalla madre e dai loro piccoli. La madre passava gran parte del suo tempo cercando di tenere questi piccoli lontani dai pericoli, e le sue giornate erano quasi completamente dedicate a tenerli vicino a lei nella grigia sabbia fangosa sul fondo del lago. Ciò non era facile perché pare che una delle piccole larve passasse gran parte del tempo guardando verso l'alto attraverso l'acqua scura, e chiedendosi cosa ci fosse lassù. Molto più su, sulla superficie del laghetto, al di là del canneto, si poteva vagamente discernere la luce del cielo blu, e questo, visto dal fondo, appariva come una visione meravigliosa. La giovane e intraprendente larva chiedeva spesso alla famiglia di andare su in superficie perché voleva vedere come fossero i colori nella realtà, ma la risposta della madre era sempre la stessa. Essa spiegava che andare in superficie era pericoloso perché i nemici si nascondevano in ogni angolo. Un uccello di passaggio avrebbe potuto afferrarla o, peggio ancora, delle piccole creature come loro potevano venire spazzate via da un soffio di vento. Tuttavia ciò non scoraggiò la piccola larva. Ogni volta che guardava in alto si sentiva investita da un'ondata di eccitazione finché un giorno, in cui il tempo era particolarmente luminoso, si fece coraggio e cominciò a nuotare verso l'alto attraverso i giunchi, in direzione della superficie dell'acqua. Quando raggiunse finalmente la luce del giorno, sedette sul filo dell'acqua, meravigliandosi della bellezza, della luce e del calore sul suo corpo. Poiché era una larva, i raggi e il calore del sole cominciarono a trasformarla. Presto il calore iniziò a far crescere delle ali sul suo corpo, e in breve essa divenne una nuova creatura. La giovane larva era entusiasta di questa esperienza e avrebbe voluto andare giù, verso le profondità fangose, per raccontare alla sua famiglia le bellezze che aveva scoperto. Ma naturalmente, con le sue nuove ali, era impossibile tornare in fondo al laghetto. Si innalzò quindi verso il cielo, verso quella bellezza che era sua per diritto naturale.

La morte improvvisa della studentessa della nostra scuola portò grande dolore, ma produsse anche una reazione del tutto inaspettata fra gli studenti. Cominciarono a fare domande sul significato della vita, e sul perché una studentessa così promettente fosse stata strappata alla vita nel fiore della giovinezza. Cominciarono a ricercare momenti di silenzio e di riflessione in modo da poter trovare da soli la risposta a questi interrogativi. Riflettendo sulla parte che la preghiera, o la mancanza di essa, aveva nella loro vita, parecchi membri del corpo insegnante furono colpiti dal modo in cui gli studenti esaminarono i tipi e i metodi di preghiera usati fino allora. Alcuni studenti si chiesero se la preghiera potesse cominciare ad assumere un significato più profondo per loro.

Nel capitolo precedente, ci siamo chiesti se i giovani pregano ancora. Io credo che lo facciano, anche se non tanto quanto gli altri intorno a loro vorrebbero. Val la pena ricordare che esistono molte forme di preghiera e innumerevoli modi per cercare di raggiungere il Divino. Dio ha scelto di renderci tutti diversi. Basta guardare una qualsiasi famiglia umana: se l'osservi, vedrai che ogni figlio ha un suo modo particolare di relazionarsi con il padre e con la madre. Se qualche membro della famiglia cerca di imitare il modo di un altro, diventa falso e scorretto. Lo stesso avviene nella nostra relazione con Dio. Ognuno di noi ha la sua tecnica personale.

I nostri studenti cominciarono a chiedersi se fosse possibile trovare un metodo che li avrebbe aiutati a livello personale. A molti era stato mostrato da bambini il modo in cui pregare. Ma ora l'avevano dimenticato oppure erano stati delusi da tale pratica. Si trovavano adesso ad affrontare una domanda: dovevano seguire rigidamente il modo di pregare che era stato loro insegnato? La storia che ascoltarono alla messa funebre sembrava dar loro speranza. Sentivano di dover prendere tempo e forse perfino pregare, ma non sapevano come farlo in modo proficuo.

Nei giorni che seguirono il funerale, molti andarono nella chiesa della scuola, chiedendo di provare dei nuovi modi di pregare. Si chiedevano se c'erano dei metodi innovativi che avrebbero potuto aiutarli a dare un senso alle cose. Anch'io me lo sono chiesto. Anthony De Mello parlava regolarmente della necessità di rendere la preghiera coerente alla propria vita e sottolineava spesso che, se la preghiera appare insipida e non attraente, dovremmo chiedercene la ragione. I giovani con cui lavoravo sentivano che lo stile di preghiera che era stato insegnato loro da bambini aveva perso ogni attrattiva. Non gli si confaceva. Di conseguenza, per quanto riguardava gli argomenti di fede, essi avevano messo in chiaro ciò che pensavano per mezzo dei piedi, per modo di dire, e non visitavano più i loro vecchi luoghi di culto. Adesso, nel momento del bisogno, si sentivano inadeguati. Ma erano per lo meno onesti nel dire quanto poco ricevessero nei centri formali di preghiera e ho il sospetto che anche molti di noi, se fossero altrettanto sinceri, dovrebbero ammettere che il loro modo di pregare lascia molto a desiderare.

Parecchi studenti, nel periodo che seguì il funerale, decisero che era arrivato il momento di fare un bilancio della propria vita. Chiesero di conoscere vari tipi di preghiera nella speranza di trovare qualcosa che potesse lenire il loro dolore. Cominciarono con il dividersi in due gruppi, gli introversi e gli estroversi. Com'era da aspettarsi, gli estroversi diedero inizio a gran parte delle discussioni e scoprirono di avere una tendenza, quando pregavano, a relazionarsi meglio con un Dio che agisce "là fuori" nel mondo. Consideravano la preghiera come comunità in azione e, mentre parlavano, cominciarono a fare dei piani su cosa potevano fare per la ragazza che era morta e per la sua famiglia. Per loro, la preghiera da fare era quella basata sull'attività.

Gli studenti introversi, al contrario, si trovarono a usare una forma di preghiera del tutto diversa. Nei momenti di maggiore lucidità, si descrivevano come piccole persone vaganti su una spiaggia, in attesa di vedere cosa getta il mare sulla riva. Gran parte di ciò che passava nelle loro menti mentre pregavano era più o meno spazzatura e detriti. Descrivevano in che modo varie idee fluttuavano qua e là nella loro mente. Immagini andavano e venivano. Solo di tanto in tanto si verificavano delle percezioni significative. Nella mente apparivano persone che erano importanti per loro. Immagini della loro compagna defunta arrivavano regolarmente alla superficie. Passavano molto tempo pregando solo lei, di lei e per lei.

Gli studenti che si definivano introversi avevano dei loro modi particolari. Pensando a uno stile di preghiera che avrebbe potuto essere adatto a loro, suggerivano un approccio più intellettuale di quanto non lo fosse quello degli estroversi. Si dice a volte che gli individui raggiungono Dio attraverso la testa, o il cuore, o lo spirito. Coloro che operano principalmente sul cuore, trovano spesso appagante pregare in un ambiente naturale, vicino alla natura e alla sua bellezza. Cercano di vedere Dio attraverso i doni della natura. Se le risposte arrivano con lentezza, consigliano la pazienza. Come in natura, bisogna aspettare che la crescita si verifichi al tempo giusto. Questo è ciò che hanno fatto alcuni mistici ed è anche la via raccomandata, fra gli altri, da san Francesco d'Assisi. Il gruppo scoprì che questo approccio non è quello preferito da coloro che tendono ad avvicinarsi a Dio in modo più analitico. Essi preferivano capire Dio, per quanto possibile, per mezzo della mente. A volte la loro preghiera sembrava piena di entusiasmo. Nel discutere il loro stile di preghiera, gli introversi si chiesero se non dovessero star più con i piedi per terra di quanto non avessero fatto. Pensarono di poter far ciò ponendo delle domande più terrene, e questo è ciò che emerse di utile: In che modo i miei sentimenti sono stati suscitati oggi? Fino a che punto sono stato triste, arrabbiato, contento o geloso? In che modo ho cominciato a diventarne, per quanto remotamente, consapevole?

In genere gli estroversi conducevano delle sessioni piuttosto vivaci. Sfortunatamente per loro, scoprirono che una buona quantità di scritti sulla preghiera era stata opera degli introversi. Gli autori descrivono, in modo abbastanza naturale, ciò che hanno trovato esser meglio per loro. A volte quello che scrivono appare un po' accademico a coloro che hanno una natura più estroversa. Gli estroversi sono in genere così occupati a vivere la propria vita, che raramente pensano di mettersi a scrivere. Se lo facessero, certo spiegherebbero che il loro modo di pregare è molto diverso da quello che va bene per gli introversi. L'attività, la parola e l'interazione sono ciò che dà loro energia e sono la loro linfa vitale. Chiedi agli estroversi quali sono le loro forme preferite di preghiera, e ti parleranno della gioia che provano nel camminare in montagna parlando con Cristo. A volte raccontano come incontrano Cristo quando non ci pensano neppure lontanamente. Ad esempio, mentre si preparano per la presentazione di un ritiro o di un seminario, scoprono regolarmente che la loro vita di preghiera viene illuminata. Io so che questo è vero per me. Quando mi preparo per qualche conferenza o seminario di preghiera che devo presentare ad altri, ho la tendenza a rimuginare cosa sta succedendo nella mia vita di preghiera. Ciò sembra accadere con naturalezza, e mette in luce il punto in cui Dio potrebbe essere presente nei miei affari. Benché sembri loro imbarazzante ammetterlo, credo che parecchi estroversi trovino Dio più facilmente non quando sono impegnati formalmente nella preghiera, ma quando sono completamente assorbiti da un'altra faccenda. Anthony De Mello era particolarmente bravo a esplorare tipi differenti di preghiera. Sapeva che stili diversi si adattavano a tipi diversi, e nei suoi libri e seminari incoraggiava la diversità e l'esplorazione. Poiché i giovani addolorati di cui abbiamo parlato non erano sicuri del modo in cui rivolgersi a Dio dopo la tragica morte della loro compagna di scuola, decidemmo di offrire loro una specie di pot-pourri dei vari stili e tecniche di preghiera, nella speranza che almeno uno fra questi potesse essere loro di aiuto. Poiché nessuno stile o forma va bene per tutti, l'approccio della scatola di selezione può essere utile e incoraggiante per coloro che trovano difficile pregare. Fai una prova con i vari metodi descritti più sotto. Ce n'è uno che potrebbe andar bene per te?

Preghiera adatta alla personalità di testa, di cuore o istintiva

Ti chiederai certamente cosa significhi personalità di testa, di cuore o d'istinto. Come si può scoprire la differenza fra coloro che cercano la via per avvicinarsi a Dio principalmente per mezzo della testa e coloro che operano di preferenza con il cuore o con l'istinto? Può darsi che anche tu ti stia chiedendo a che categoria appartieni. La seguente storia può contribuire a fornire una risposta a questa domanda.

Un gruppo di studenti fece una gita scolastica in autobus con i loro insegnanti. Disgraziatamente, durante il viaggio, l'autobus si ruppe e del fumo cominciò a uscire dal motore. Poiché sembrava imminente un incendio, ecco che le personalità di testa, di cuore e d'istinto entrarono in azione. Gli insegnanti che usavano soprattutto la testa per prima cosa andarono su e giù per l'autobus. Spiegarono che i motori degli autobus, se surriscaldati, sono pericolosi. Passarono quindi a dividere gli studenti in due gruppi di numero uguale, in modo che una metà potesse uscire dalla parte anteriore del veicolo, mentre l'altra metà dalla parte posteriore. Gli insegnanti che seguivano principalmente la via del cuore si servirono di un approccio completamente diverso. Andarono su e giù per l'autobus, preoccupandosi e chiedendosi chi poteva essere ferito o sentirsi male. Erano così impegnati a preoccuparsi di come si potevano sentire le persone coinvolte, che dimenticarono di allontanare gli studenti dal pericolo incombente. Si dice che gli insegnanti che erano guidati dall'istinto, nel frattempo, fossero saltati immediatamente fuori dall'autobus. Vedi in quale categoria ti inserisci meglio, e potrai capire se appartieni alla categoria di testa, di cuore o dell'istinto.

Sarà utile esaminare alcuni modi di preghiera di cui ci siamo serviti dopo il funerale. Dapprima abbiamo usato uno stile che andava bene per le persone "di testa". Queste sono persone che preferiscono dirigere la loro vita principalmente per mezzo dell'intelletto. Sono le persone che continuano a chiedersi il "perché" di ciò che accade nella vita. Essi amano analizzare. Durante il tempo dedicato alla preghiera, in genere procedono in modo ordinato e sono di solito orgogliosi della loro logica. Talvolta può essere loro di aiuto tenere gli occhi aperti e concentrarsi su di un oggetto, come una candela o una croce. Ciò li aiuta a non farsi distrarre da divagazioni interiori e frena inoltre le distrazioni create spontaneamente dalla mente. Senza una certa regola, è probabile che essi seguirebbero la moltitudine di idee che reclamano attenzione nella loro testa. Se queste persone vengono lasciate sole con Dio nel luogo di preghiera, ne sono piuttosto contente. Occasionalmente, può essere loro utile un nastro di musica tranquilla e riflessiva oppure un nastro di musica di Taizé o gregoriana.

Abbiamo poi cercato di scoprire cosa avrebbe potuto aiutare gli studenti che erano diretti "dal cuore". A molti di questi piacque il metodo di preghiera benedettino. Questo stile di preghiera si è diffuso fin dal IV secolo, quando i primi monaci cristiani cominciarono a praticarlo. Questi monaci abitavano in zone sperdute del deserto egiziano. Speravano di evitare le distrazioni e le tentazioni. Iniziarono scegliendo una frase come: «Signore, Gesù Cristo, abbi pietà di me», ripetendola di continuo. Si credeva che questa ripetizione potesse bloccare le distrazioni e creare pace interiore. Essi credevano che solo attraverso una vita spartana e disciplinata avrebbero potuto purificare la mente dalle preoccupazioni e dalle tentazioni, e unirsi così a Dio. Anthony De Mello, nel suo libro *Sadhana*, ha sottolineato, elogiandolo, questo metodo di preghiera. Ha spiegato che il monaco, non appena si sveglia, deve sedere per circa un'ora al fine di ricomporre la mente. Deve quindi guidarla pian piano al silenzio per mezzo di esercizi respiratori. Non deve riflettere troppo. Dopo qualche tempo, deve lasciare che la sua consapevolezza si fermi su una particolare parola o gruppo di parole. Deve soffermarsi su parole che abbiamo per lui un significato. I nostri studenti scoprirono che, se sceglievano una frase come «Gesù, ricordati di me quando sarai nel Tuo regno» erano in grado sia di pregare che di ricordare la loro compagna scomparsa, che era pure andata nello stesso regno. Con la pratica, questa «Preghiera di Gesù» o la ripetizione di versetti scelti delle Scritture possono diventare abbastanza spontanee e istintive.

Altri studenti vollero usare lo stile di preghiera con il mantra, molto simile al tipo di preghiera di cui abbiamo già accennato. Questo implica l'uso di una parola o locuzione che viene salmodiata, cantata, mormorata o perfino solamente ascoltata come suono nella propria mente per simulare la calma desiderata nella meditazione. In genere è una frase che invoca il nome di Dio. Alcune persone si recano da un guru per ricevere il proprio mantra personale, mentre altri fanno la prova con diverse frasi finché trovano quella che sentono essere giusta. Il noto scrittore spirituale moderno padre John Main ha detto che questo stile di preghiera gli fu insegnato da Swami Satyananda. Secondo la sua descrizione, è necessario sedersi e restare seduti e immobili con la schiena dritta, prima di chiudere gli occhi, mantenendosi rilassati ma vigili. Poi silenziosamente, dal cuore, si comincia a pronunciare un'unica parola. La parola raccomandata da John Main era *Maranatha*, e gli fu detto che doveva essere recitata come quattro sillabe della medesima lunghezza. La parola è aramaica e significa «Vieni Signore», cioè «Vieni, Signore Gesù» e fu suggerita come parola adatta sia per il suo significato sia per la risonanza del suo suono. Ascolta, mentre ripeti la parola dolcemente e di continuo. Non pensare o non immaginare nulla di spirituale o di altro genere. Se pensieri o immagini si manifestano, si tratta di distrazioni. Continua a concentrarti sulla semplice ripetizione della parola. Il suono viene ripetuto lentamente e profondamente in modo da creare una risonanza. L'unico modo di impararlo è iniziare a esercitarvisi.

Lo stile di preghiera con il mantra è oggigiorno molto popolare. Alcuni affermano che questo metodo è valido solo se il mantra ha un significato particolare come «Gesù, ricordati di me quando sarai nel Tuo regno». Altri, invece, dicono che il semplice suono produce di per se stesso una qualità di pulsazioni che ha un effetto benefico e salutare su zone particolari del corpo o della personalità. Ripeti il mantra ad alta voce, lentamente e ritmicamente. Sperimenta il suono. Lascia che ti culli gentilmente con il suo ritmo. Mentre lo ripeti. Dillo sempre più piano fino a farlo diventare quasi un sussurro. Ora smetti di ripetere il mantra ad alta voce. Chiudi gli occhi e ascolta semplicemente il mantra nella tua testa. Pensalo, ma non pronunciarlo. Non appena la mente comincia a divagare, devi concentrarti nuovamente sulla parola sacra del mantra. Questo è ciò che facevano i monaci cristiani del IV secolo. Essi credevano che, ripetendo la parola, avrebbero bloccato le distrazioni al di fuori della mente, creando così la pace interiore. Alcuni monaci e maestri lasciarono delle istruzioni su come rendere efficace questo mantra di preghiera. Non appena il monaco si sveglia, deve restar seduto per circa un'ora al fine di raccogliere la mente allontanandola dalle solite divagazioni. È necessario che faccia attenzione a ciò che di essenziale accade all'interno perché, come dice sant'Ireneo: «Non sei tu che dai forma a Dio, ma è Dio che dà forma a te». Se tu quindi sei opera di Dio, attendi la mano dell'artista che fa le cose al momento opportuno. Offri a Dio il tuo cuore, morbido e malleabile, e mantieni la forma che l'artista ti ha dato. Lascia che la tua argilla si mantenga umida, altrimenti diventi duro e perdi l'impronta delle sue dita.

Alcuni studenti volevano pregare solo per una ragione. Non riuscivano a levarsi dalla testa la loro compagna scomparsa. Avevano una richiesta da fare. Gesù avrebbe voluto prendersi cura di lei? Volevano sapere se c'era uno stile di preghiera adatto per delle richieste speciali. Tip O'Neill, uomo politico americano, era solito raccontare la storia della prima occasione in cui si presentò come candidato per un ufficio pubblico. Era molto conosciuto nella sua zona e lavorava sodo. Poco prima del giorno delle sue prime elezioni incontrò un'anziana signora del suo distretto elettorale che lo conosceva molto bene. Quando l'incontrò in strada, egli ricorda come menzionasse casualmente il fatto che era sicuro di poter contare sul suo voto in quel giorno speciale. La signora rispose con la velocità di un fulmine: «No, non ci puoi contare, perché non me lo hai chiesto». Tip O'Neill dice di non aver mai dimenticato quella lezione. Va bene presumere di essere conosciuto nella tua zona e che la gente starà dalla tua parte ma, come aveva detto l'anziana signora, alle persone piace che si faccia una richiesta prima di aspettarci qualsiasi cosa da loro.

Nel Vangelo si trova lo stesso messaggio. Dalle storie ivi contenute si vede che anche a Gesù piaceva che la gente gli facesse delle richieste quando aveva bisogno di assistenza o quando voleva che compisse dei miracoli. Quanto meno Egli mostrò certamente interesse quando gli venivano fatte delle richieste.

Anche nella nostra vita potremmo forse usare la stessa tecnica quando preghiamo. Chiedi semplicemente ciò che desideri. Gran parte di noi non lo fa abbastanza spesso. Anthony De Mello racconta di un padre provinciale in India il quale andò a visitare delle suore carmelitane di clausura. Esse avevano chiesto un direttore spirituale, ma il Provinciale rispose loro che non avrebbero avuto alcun direttore spirituale a meno che non avessero pregato per nuove vocazioni nell'ordine dei gesuiti, dato che da tempo non ce n'erano state. Quell'anno, dopo che le sorelle ebbero pregato, la regione ricevette otto novizi, e Anthony concluse la sua storia dicendo che la ragione principale per cui non riceviamo quello che chiediamo è perché non crediamo che le nostre preghiere possano essere ascoltate.

Il nuovo esame

Nel corso delle conversazioni degli studenti sulle forme di preghiera, fu portata in discussione una pratica comune fra i gesuiti, o per lo meno raccomandata dal loro fondatore, sant'Ignazio di Loyola. Sant'Ignazio spingeva i suoi seguaci a compiere giornalmente un esame di coscienza. Ciò può essere fatto in vari modi e i due presentati qui possono risultare di qualche utilità.

La prima versione è estremamente semplice. Dividi il tempo a tua disposizione in cinque segmenti e, durante ogni porzione, prega in ciascuno di questi modi:

- Ritorna con la mente alle occasioni in cui l'amore di Dio ti si è manifestato nelle ultime ventiquattr'ore.
- Ricorda gli eventi di oggi fino al momento presente, e prega per le persone che hai incontrato, gli avvenimenti a cui hai partecipato, gli umori che hai provato.
- Dai un po' di tempo e spazio al ricordo di quando hai sentito venir meno le tue speranze e aspirazioni per questa giornata.
- Pentiti. Chiedi l'assoluzione per te affinché venga cancellata qualsiasi debolezza di cui sei stato preda.
- Prendi una decisione. Guarda al futuro e chiedi forza e coraggio per essere d'ora in poi più forte e impegnato.

Secondo esame

Ecco di seguito un altro modo di compiere l'esame di sant'Ignazio:

- Inizio ponendomi alla presenza della Trinità. Cerco di diventare consapevole di Dio mentre mi osserva. Dopo aver fatto questo, resto fermo per un po', quindi ringrazio Dio per la mia vita e per la Sua costante compagnia.

• Chiedo poi ciò che voglio e desidero. Guidato dallo spirito, cerco di entrare in contatto con ciò che è avvenuto in me durante il giorno.

• Prendo adesso in esame la mia giornata. Quali eventi sono successi e cosa ha dominato il mio cuore e la mia mente? Rifletto sulle esperienze soddisfacenti e insoddisfacenti nel mio lavoro e penso a come mi sono comportato con gli altri. Mi sono reso conto o sono stato conscio di dove Dio è stato attivo nella mia vita in questa giornata e fino a questo momento?

• Parlo alla Trinità, chiedendo di comprendere il significato delle esperienze da me fatte.

• Concludo con un Padre Nostro.

Metodo di preghiera RAID

Una terza forma di esame si compie nel modo seguente. Dividi il tuo tempo di preghiera in quattro parti e, facendo uso del tempo a tua disposizione, impiega la parola RAID (ringraziamento, aiuto, intercessione, dispiacere) come una specie di coadiuvante della memoria. Per prima cosa prega rendendo grazie per quanto hai ricevuto oggi, fino a questo momento. Puoi ringraziare per un nuovo amico che hai incontrato, o per un problema che è stato risolto con soddisfazione. Quindi prega chiedendo aiuto. Esamina i punti in cui non hai ottenuto i risultati sperati. Come terza cosa, usa una preghiera di intercessione, chiedendo le cose che vorresti. Prega infine sentendo dispiacere e chiedendo perdono per le trasgressioni che puoi aver commesso.

Metodo di preghiera del "soltanto essere"

Questo metodo di preghiera è difficile da descrivere, ma può essere molto utile a diversi tipi di personalità. Consiste nell'essere silenziosi e attenti davanti al Signore. Non si fa altro che "essere" in presenza dell'Onnipotente. Ricorda quando i discepoli di Cristo erano stanchi – avendo gente che andava e veniva continuamente – e il Signore li invitò ad andare in un luogo silenzioso solo per "essere". Può tornare qui utile un'immagine. Pensa a una batteria ricaricabile. Quando la corrente è inserita, viene ricaricata. Non ha bisogno di fare niente. Riacquista energia semplicemente essendo presente. Impiega questo metodo per sedere di fronte a Dio in un luogo tranquillo. Assorbi la Sua bontà. Non fare niente. Ricaricati soltanto. Questo è quanto il tipo di preghiera del "soltanto essere" può fare per te. Alcuni studenti, e particolarmente i tipi introversi, ti diranno che ciò che vogliono è una forma di preghiera silenziosa simile a quella descritta più sopra. A loro piace una preghiera priva di parole. Questa li aiuta a sentire che non sono tanto essi a rivolgersi a Dio, quanto è Lui che si rivolge a loro. Il silenzio ha un modo di esprimere la presenza più profondamente delle parole.

Parecchi studenti ebbero difficoltà a comprendere il concetto di preghiera silenziosa e spiegarne il significato non fu facile. Un modo per capire potrebbe essere facendo un paragone con la pesca. Come per la pesca, sembra che tu non faccia niente, ma in realtà molte cose si verificano. Mentre sei apparentemente rilassato, sei in pratica concentrato perché hai bisogno di restare vigile. Non stai semplicemente seduto là. Devi tirare non appena scorgi il guizzo del pesce nell'acqua. Devi reagire in una frazione di secondo. Coloro che si impegnano nella preghiera silenziosa devono capire che ora non è tempo di parlare nel modo più assoluto. Sono arrivati in un momento in cui ogni tipo di azione verbale sarebbe solo una distrazione, mentre gli altri sensi devono restare totalmente all'erta. I buddisti usano la parola *zazen*. Significa "semplicemente stare seduto", senza pensare assolutamente.

È una pratica essenziale del buddismo zen da cui potremmo trarre beneficio. A volte si impegnano nella preghiera tenendo i volti rivolti alla parete, in modo da evitare le distrazioni. In questo tipo di meditazione non vengono usate immagini né simboli, né pensieri, idee o parole.

Visualizzazione guidata

Alcuni studenti, infine, chiesero di poter provare la visualizzazione guidata. Potremmo, essi chiesero, provare un esercizio di fantasia imperniato sull'argomento del lutto? Visualizzazione guidata significa usare la capacità della mente per "pensare" in immagini. Lo scopo è quello di creare nella propria mente una particolare immagine o storia. Deve trattarsi di una visualizzazione che riveste per il meditante un significato particolare. Ciò che facciamo qui è semplicemente usare la nostra immaginazione per dare vita a immagini interiori. Questa esperienza è in parte simile al sognare a occhi aperti, però esiste una differenza in particolare. Quando sogniamo a occhi aperti, il nostro divagare è completamente libero e incontrollato, mentre la visualizzazione guidata è fatta tenendo presente uno scopo preciso, e la nostra fantasia viene guidata da qualsivoglia sia il nostro fine o intenzione. All'io inconscio piace comunicare con l'io conscio per mezzo di rappresentazioni e immagini, proprio come avviene nei sogni. Anthony De Mello ha fatto uso di questa forma di visualizzazione in molte occasioni per condurre i partecipanti a una preghiera più strettamente in contatto con il loro io profondo e con Dio.

Anche sant'Ignazio ha impiegato il potere dell'immaginazione, imbrigliandolo, per assisterci nella preghiera in molte delle sue contemplazioni, in particolare le Narrazioni dell'Infanzia. Ciò aggiunge sapore alle scene del Vangelo e ci permette di immaginarci mentre parliamo con Gesù a livello più intimo e semplice di quanto non potremmo fare altrimenti. Quando la visualizzazione guidata veniva usata per una storia del Vangelo, gli studenti venivano informati che individui diversi potevano trarre dal loro tempo di preghiera dei benefici completamente differenti. Solo Dio può dire come una particolare frase, parola o un dato personaggio possa interagire con chi sta pregando. Qualche parte della storia o della scena potrebbe richiedere speciale attenzione. Il libro di Giobbe dice che Dio ci offre "canzoni durante il sonno", e questa qualità della preghiera che la fa assomigliare al sogno può essere veramente utile.

Il gruppo della classe in lutto provò una meditazione con visualizzazione guidata che trovò particolarmente efficace. Era importante verificare in seguito come ciascuno si sentisse alla fine dell'esercizio. A volte, in casi come questo, le persone possono rivelarsi molti fragili e hanno bisogno di sapere che, in caso di necessità, hanno a loro disposizione sostegno e assistenza.

Esercizio Uno

Preghiera per un defunto

Inizia con il sederti e con il chiudere gli occhi. Immagina adesso che alla tua testa sia attaccato un filo invisibile che viene tirato verso l'alto. Nella tua immaginazione, visualizza il tuo corpo che viene tirato in su, con la spina dorsale che si raddrizza e con l'addome che ha molto spazio per respirare. Ci concentreremo per qualche tempo sul ritmo e sulla profondità del respiro. Certe persone trovano utile inspirare lentamente contando fino a quattro ed espirare seguendo lo stesso lento ritmo, sempre contando fino a quattro. Questo schema di respirazione viene ripetuto parecchie volte fino a che si stabilisce un ritmo regolare che calma e tranquillizza i partecipanti. Ai più questo esercizio riesce meglio tenendo gli occhi chiusi, perché in questo modo è più facile evitare le distrazioni. Occasionalmente, si possono incontrare membri del gruppo che sono riluttanti o che hanno paura di chiudere gli occhi, e io non vorrei certo imporre a nessuno di eseguire pedissequamente qualcosa che non va bene per loro.

Immagina adesso di vedere una montagna in lontananza. La montagna ha un sentiero che conduce verso l'alto girando intorno ai suoi fianchi. Questa pista è stretta e disseminata di sassi. A intervalli regolari, ci sono dei grossi massi ai lati del sentiero. Ho trovato utile, nel contesto di un lutto, immaginare che la persona che è morta si trovi su questo sentiero. Visualizza il defunto mentre sale lungo la pista per raggiungere il regno, ma la via è dura e il sentiero ripido. Il nostro compito, in questa meditazione, è camminare con lui, incoraggiandolo lungo il cammino. Quando lo vediamo stanco o scoraggiato, lo possiamo aiutare. In questo momento cruciale, continuiamo a pregare per lui. Se, nella nostra immaginazione, sembra che voglia rinunciare al suo compito di salire lungo la pista, raddoppiamo i nostri sforzi pregando. A volte potremo forse lasciarlo sedere su uno dei massi, in preda alla stanchezza, ma riprenderemo a pregare più tardi per rinnovare il nostro sforzo a suo favore. Infine, nella nostra immaginazione e meditazione, vediamo il nostro amico defunto raggiungere la destinazione finale e pervenire alla presenza di Dio. Rendiamo grazie per la sua perseveranza e per il fatto che abbiamo potuto essere con lui e sostenerlo nel suo passaggio alla volta del Padre.

Esercizio Due

Il respiro di Dio

Sistemati in posizione di preghiera e fai in modo che il tuo corpo si rilassi. Diventa a poco a poco consapevole del tuo respiro. Percepisci l'aria mentre passa attraverso le narici. Mettiti in contatto con il ritmo della tua respirazione. Durante la respirazione, senti il tocco del respiro mentre entra ed esce dal tuo corpo. Cerca di capire se è freddo o caldo. Cerca di sentire qualsiasi suono esso provochi entrando nel tuo corpo.

Immagina ora il respiro come una nebbia colorata o come la luce di una candela e visualizzala nella tua mente. Osservala mentre si fa strada attraverso le narici, colpendo la parte posteriore della gola. Nota come si muove verso il basso in direzione delle spalle e come procede nel suo viaggio.

Continua a visualizzare come se tu avessi un corpo di vetro, e vedi la nebbia colorata che si sposta giù fino al torace, alle braccia, passa intorno alla spina dorsale, e vedila giungere alla zona dell'ombelico. Dopo qualche momento, immagina il tuo respiro mentre compie il viaggio di ritorno dal fondo dello stomaco, su per la colonna vertebrale, dentro il petto, su per le braccia, fino alla zona delle spalle, ancora su per la gola, per poi uscire attraverso la bocca.

Adesso rendi preghiera questo esercizio scegliendo un mantra e continua a ripetere la parola o la frase mentre inspiri ed espiri. Potresti, ad esempio, usare la parola «sì» durante l'inspirazione (accettando la vita da Dio) e «Signore» durante l'espirazione (lasciando che Dio prenda la tua vita). Oppure potresti usare un verso da uno dai canti di Taizé, qualcosa come: «O Signore, ascolta la mia preghiera, O Signore ascolta la mia preghiera» durante l'inspirazione, a cui far seguire «Quando ti chiamo, rispondimi» durante l'espirazione.

Fai durare questo esercizio di preghiera dai dieci ai quindici minuti.

Esercizio Tre

Vangelo di san Luca

(Lc 11, 5-9)

Chiedete e vi sarà dato

Prima leggi la storia dal Vangelo di san Luca.

Poi aggiunse: «Se uno di voi ha un amico e va da lui a mezzanotte a dirgli: Amico, prestami tre pani, perché è giunto da me un amico da un viaggio e non ho nulla da mettergli davanti; e se quegli dall'interno gli risponde: Non m'importunare, la porta è già chiusa e i miei bambini sono a letto con me, non posso alzarmi per darteli; vi dico che, se anche non si alzerà a darglieli per amicizia, si alzerà a dargliene quanti gliene occorrono almeno per la sua insistenza.
Ebbene, io vi dico: Chiedete e vi sarà dato, cercate e troverete, bussate e vi sarà aperto».

Sistemati nel tuo luogo di preghiera. Inizia con il rilassare lentamente i muscoli, cominciando dalla testa, poi il viso e il collo e muovendoti giù per il corpo lentamente, finché porti la sensazione di rilassamento fino alla punta dei piedi. Poi, per alcuni minuti, mentre mantieni i muscoli rilassati, inspira ed espira con facilità e naturalezza e inizia a immaginare la scena descritta sopra. Inserisciti nella storia. Vedi te stesso come chi ha ricevuto un visitatore inaspettato. Come ti sentiresti? Come reagisci quando una complicazione inattesa ti si pone innanzi? In verità, preghi per ciò di cui hai bisogno? Continui a pregare se la tua richiesta non ti viene accordata immediatamente?

Pensa a qualche situazione nella tua vita in cui hai avuto bisogno di aiuto. Prometti a te stesso che quando, in futuro, avrai bisogno di una mano, chiederai al Signore di essere generoso verso le tue necessità.

Termina con il Padre Nostro.

Esercizio Quattro

Vangelo di san Marco

(Mc 5,35-36 - 5,38-42)

Mentre ancora parlava, dalla casa del capo della sinagoga vennero a dirgli: «Tua figlia è morta. Perché disturbi ancora il Maestro?». Ma Gesù, udito quanto dicevano, disse al capo della sinagoga: «Non temere, continua solo ad aver fede!». Giunsero alla casa del capo della sinagoga ed egli vide trambusto e gente che piangeva e urlava. Entrato, disse loro: «Perché fate tanto strepito e piangete? La bambina non è morta, ma dorme». Ed essi lo deridevano. Ma egli, cacciati tutti fuori,

prese con sé il padre e la madre della fanciulla e quelli che erano con lui, ed entrò dove era la bambina. Presa la mano della bambina, le disse: «Talita kum», che significa: «Fanciulla, io ti dico, alzati!». Subito la fanciulla si alzò e si mise a camminare; aveva dodici anni.
Essi furono presi da grande stupore.

Quando ti senti pronto e nel modo in cui ritieni opportuno, rilassati e lasciati andare, mentre la mente comincia a dirigersi verso l'interno, verso il luogo della pace e della quieta consapevolezza. Rendilo un luogo di rilassamento senza alcuno sforzo. Lasciati andare e rilassati. Lascia che le cose accadano da sole. Se sei veramente rilassato, la tua mente inconscia comincerà a sentire e a comprendere alcune delle cose che si sono verificate durante questa meditazione. Poni l'attenzione sulle diverse parti del tuo corpo, cominciando dalla testa, e fa sì che ciascuna parte – mentre vi fissi la tua attenzione – cominci a rilassarsi. Lascia che la sensazione di rilassamento fluisca nel tuo corpo, muovendosi verso il basso attraverso il volto, le braccia, giù fino alla punta delle dita e giù lungo il corpo. Diventa consapevole dei tuoi sentimenti man mano che si manifestano, e lascia che le sensazioni diventino un piacevole, caldo sentire. Mentre respiri, osserva i leggeri movimenti che si verificano. Guida questo bel sentimento giù verso la zona dello stomaco, perché la zona dello stomaco è quella che raccoglie le tensioni e così, mentre espiri, invia una piccola onda vibrante di pace giù fino allo stomaco. Continua a muoverti nel tuo corpo verso il basso, diventando consapevole di com'è, finché identifichi qualsiasi sensazione fra le gambe e i piedi, mentre questi restano ben piantati sul pavimento.

Nella tua mente, comincia a immaginarti come la bambina al centro della storia del Vangelo. Può darsi che tu sia stato malato per qualche tempo e i tuoi genitori siano certo stati preoccupati per te. Pensa a circostanze e momenti durante la tua giovinezza in cui hai vissuto la vita nella sua pienezza e gioia, insieme agli amici che hanno condiviso quei bei momenti con te.

Ora ti trovi in un posto tranquillo e ti pare di essere senza vita. Una parte di te sembra morta, e ti senti completamente solo. All'improvviso cominci a percepire dei rumori intorno a te. Quali voci senti? D'un tratto puoi sentire la presenza di Gesù vicino a te. Egli comincia a parlarti della bellezza della vita, e ti ricorda le buone cose e le buone persone che sono state parte della tua esistenza. Passa un po' di tempo pensando a quei tempi trascorsi e parlane con Gesù. Ora il Signore ti incoraggia a muoverti e a decidere di vivere in pienezza. Questo è ciò che Egli vuole per te, e ti dice che è anche ciò che altri vogliono per te.

Ho ancora gli occhi chiusi, ma sento la mano di Gesù che mi raggiunge per riportarmi alla vita. Mentre la scena circostante mi diventa chiara, lentamente comincio a uscire dallo stato di sonnolenza e sento che l'energia mi sta ritornando. Rendo grazie a Gesù per le sue cure e per la sua sollecitudine nei miei riguardi.

7
METODI PER IL RISVEGLIO

> Perfino quando siamo negligenti e addormentati sul pilastro dei nostri peccati, di tanto in tanto Egli ci disturba, ci scuote, ci colpisce e fa del suo meglio per svegliarci per mezzo delle tribolazioni.
>
> *Thomas More*

Le pulci sono delle strane creature. Passano la maggior parte della loro vita saltando da un posto all'altro. Qualche anno fa uno psicologo americano decise di tentare un esperimento e così mise delle pulci in una scatoletta e le lasciò saltare su e giù a loro piacimento. Dopo un po' mise un coperchio sulla scatola e le pulci si accorsero che la loro precedente libertà era stata limitata. Potevano saltare solo fino all'altezza del coperchio e questo fatto le scoraggiò. Dopo qualche tempo smisero del tutto di saltare. Anche se in seguito l'ammaestratore levò il coperchio, le pulci non saltarono più. Si erano formate un pregiudizio che limitava la loro libertà e molti di noi, in circostanze analoghe, sono come quelle pulci. Costruiamo delle routine nel tempo e, una volta che ci siamo stabilizzati in quel dato comportamento, abbiamo la tendenza a continuare nel modo che abbiamo predeterminato.

Le abitudini che abbiamo coltivato dentro di noi in gioventù possono ispirarci o distruggerci. Alcuni di questi tratti possono esserci donati addirittura prima che iniziamo il viaggio della vita. Ricordo di aver visitato in ospedale una giovane coppia che aveva appena avuto il primogenito. Quasi tutti i visitatori che entravano nella corsia commentavano come il piccolo assomigliasse al padre o alla madre e mi venne spontaneo pensare che noi tutti assumiamo certe caratteristiche o tratti fisici praticamente dalla nascita. Possiamo essere simili ai nostri genitori nell'espressione del viso, nei capelli, nei lineamenti e perfino nella personalità, ma fin dalla più tenera età cominciamo a costruirci il bagaglio del nostro carattere. Se osserviamo attentamente questi tratti man mano che si sviluppano, possiamo scoprire, a volte, se mettono in luce il meglio o il peggio che c'è in noi.

Sant'Ignazio di Loyola, da saggio quale era, consigliò ai suoi seguaci di investire tempo e fatica nell'esecuzione di un tale esame. Si raccomandava di dedicare ogni giorno un po' di tempo cercando di identificare determinati comportamenti all'interno di se stessi. Una volta notate, le abitudini e le caratteristiche potevano essere sottoposte alla prova decisiva. Indirizzavano la persona verso Dio, oppure la allontanavano da Lui? Questo esame diventa molto preciso se lo si esegue regolarmente. Guardarsi indietro periodicamente, e vedere in che forma o spirito ci hanno posto le nostre attività può essere un'esperienza profondamente educativa. A volte, con nostro grande imbarazzo, scopriamo che, come ha detto il profeta Haggai: «Abbiamo seminato così tanto, e raccolto così poco». Ci vuol tempo per rendersi conto che ogni azione che intraprendiamo lascia un segno dentro di noi, rendendoci persone migliori o peggiori.

Metti perciò in discussione tutto, finché non scopri l'effetto che le tue azioni stanno producendo nella tua vita. C'è pericolo che ognuno di noi sia cieco e insensibile alle sollecitazioni dello Spirito Santo, quando lo spirito vorrebbe che facessimo attenzione a zone particolari della nostra esistenza. È possibile che ignoriamo la sua influenza frenante quando ci spinge a restare fermi abbastanza a lungo da permettergli di agire in un particolare campo della nostra vita. È quindi utile coltivare la capacità di scoprire cosa succede dentro di noi, e non è una cosa facile. Il prezzo di un tale esame potrà sembrare troppo alto. Mi viene in mente un uomo d'affari che andò da un guru indiano e chiese al sant'uomo quanto avrebbe chiesto per insegnare a leggere al proprio figlio. Il guru rispose che tale compito sarebbe venuto a costare trecento sterline. «Ma è troppo caro» ribatté l'uomo d'affari, «con questa cifra potrei comprare sei asini.»

«Allora comprali» rispose il guru, «e tuo figlio sarà il settimo.»

Può darsi che anche noi, come lui, non vogliamo pagare il prezzo che l'esame delle nostre azioni esige.

Perché è così difficile affrontare ciò che in realtà si verifica nella nostra vita? Ci balzano subito alla mente parecchie ragioni. Terry While, l'inglese che divenne famoso dopo essere stato rapito in Medio Oriente, dice saggiamente che non molti di noi sono desiderosi di fare una valutazione oggettiva dei propri difetti. Tali giudizi oggettivi potrebbero esser dati da un confessore, da un terapista, da un amico, e in quasi tutti i casi sono di aiuto nel processo di crescita. È tuttavia molto difficile accettarli. È possibile attenuare il dolore che tali valutazioni suscitano? Nel libro di Ken Kesey *Qualcuno volò sul nido del cuculo* il personaggio principale, Mc Murphy, fa un commento che può esserci utile. Egli ci suggerisce di mantenere il nostro senso dell'umorismo e di restare calmi quando osserviamo il nostro comportamento. Egli la mette in questi termini: «Quando perdi il senso dell'umorismo, perdi il tuo punto d'appoggio».

Sant'Ignazio di Loyola dice la stessa cosa in modo un po' più raffinato. In seguito alle sue osservazioni, cominciò a rendersi conto che alcuni pensieri e azioni fanno sentire l'individuo triste e depresso, mentre altri tipi di azioni lo lasciano con la gioia nel cuore. Sant'Ignazio si chiedeva com'è possibile scoprire se le nostre azioni ci conducono verso la gioia o verso il dolore. Dopo aver molto riflettuto e pregato, il santo scoprì che, solo quando si poneva a una certa distanza dagli eventi stessi, gli era possibile guardare indietro spassionatamente e vedere quali sentimenti venissero evocati. Arrivò a riconoscere che alcuni sentimenti profondi sono generati dal diavolo mentre altri provengono da Dio. Sant'Ignazio fa dei commenti sulle opere degli spiriti buoni e di quelli cattivi proprio all'inizio della sua autobiografia. La distinzione fra gli spiriti fu per lui uno strumento di vitale importanza. Ciò divenne il metodo per giudicare la giustezza o l'erroneità delle sue azioni nel corso di tutta la vita. Credeva che ognuno dovrebbe imparare dalla propria esperienza e trarre profitto dai propri errori. Nessuna persona avveduta inciampa due volte sullo stesso sasso. Egli consigliò alla gente di abituarsi a esaminare gli avvenimenti della propria vita per vedere se procurano soddisfazione e nutrimento a lungo termine o se producono invece l'effetto contrario.

Lascia che Dio ti aiuti in questo compito ma non aspettarti che sia Lui a fare tutto il lavoro in questo procedimento di autoesame. Devi essere preparato a farne una parte anche tu.

Anthony De Mello amava raccontare la storia di un membro di una tribù che andò nella tenda del suo capo dicendo di aver lasciato il proprio cammello girovagare nei dintorni perché aveva una gran fede in Allah. Sapeva che il Signore si sarebbe preso cura dell'animale. Il capotribù gli disse di non fare l'idiota e di andare immediatamente a riprendere la bestia e a legarla. «Allah» disse «non ha intenzione di fare per te ciò che tu stesso puoi fare benissimo.» Perciò, quando ci accingiamo a esaminare il nostro stile di vita e l'effetto che esso sta avendo su di noi, potremmo forse aver bisogno di smantellare alcune importanti convinzioni che disturbano la nostra vita. Una tale realtà è difficile da accettare.

Anthony De Mello diceva spesso che alla gente non piace affrontare la dura realtà. Preferisce vivere con una certa dose di dolore. Ero solito dubitare circa la validità di questa tesi ma dovetti ricredermi quasi per forza durante una mia recente visita in Africa. Come molti altri, anch'io avevo sentito parlare dell'epidemia di AIDS che aveva colpito quel continente e sapevo che la zona che stavo attraversando aveva un tasso di malattia tremendamente alto. Le recenti cifre dell'OSM sembravano suggerire che un adulto su tre era portatore del virus, per cui mi meravigliai nel constatare che, quando visitai alcuni progetti locali contro la diffusione del virus, pochissime persone frequentavano gli ambulatori. Dapprima non riuscii a capirne la ragione. Poi, gli stessi operatori del progetto mi spiegarono che la maggior parte delle persone malate non vanno all'ambulatorio perché preferiscono non sapere se sono infetti. In altri termini, preferiscono vivere nell'ignoranza piuttosto che venire a conoscenza del peggio.

Platone, nel lontano 427 a.C., dichiarò che una vita senza autoesame non è degna di essere vissuta e, più recentemente, M.Scott Peck ha asserito che, quando si scopre il male nella propria vita, il problema non è tanto il peccato in se stesso quanto il nostro rifiuto a prenderne coscienza. Partendo da tali osservazioni sembra che, nei primi stadi dell'autoesame, l'obiettivo dovrebbe essere quello di accettare il fatto che non tutto è perfetto dentro di noi. Possono esser presenti sentimenti di gelosia, rabbia o angoscia. Ed è probabile che questi siano indicatori di un possibile pericolo più avanti. Prima che si possa fare alcun progresso, è necessario passare al secondo stadio del nostro autoesame. In questo periodo cominciamo a renderci conto che i comportamenti deleteri che stiamo notando in noi stanno diventando insopportabili. Coloro che lavorano con gli alcolizzati conoscono bene questa sindrome. Prima che la guarigione possa avere inizio, bisogna per prima cosa ammettere che esiste un problema. Un cambiamento è necessario, e tale cambiamento deve avvenire all'interno di me stesso. A questo punto lo stress, il disagio e l'agitazione diventano talmente intollerabili che un cambiamento diviene cruciale. Cominciamo a renderci conto di aver raggiunto il punto in cui ci viene offerta l'ultima opportunità. Il valore di ciò che potremmo perdere se continuiamo nel nostro comportamento errato appare evidente. Cominciamo anche a diventare un po' consapevoli della parte da noi avuta nel peccare.

Molti grandi santi mostrano questa forma di autopercezione. Si resero conto di essere dei peccatori. Ciò che li rende grandi è l'aver ammesso i loro difetti e l'avere, nonostante ciò, continuato ad andare avanti. Hanno ammesso i loro peccati dinanzi a Dio e hanno chiesto il Suo aiuto. Hanno mantenuto aperti i canali di comunicazione fra se stessi e l'Onnipotente e si sono serviti della conoscenza dei propri difetti in modo positivo e ne hanno fatto buon uso.

La vera ragione di tanta sofferenza risiede nella mancanza di autoconoscenza. Il musicista inglese Sting, riflettendo su momenti di successo e di fallimento nella propria vita, ha notato che successo e felicità non sono la stessa cosa. «Quando avevo più successo nella mia vita professionale, ero più infelice nella mia vita privata» egli dice. Ma Sting ha scoperto ciò soltanto attraverso un duro lavoro e una seria riflessione a livello personale. Ha scoperto che capire qualcosa della propria malattia segna l'inizio della buona salute. San Francesco Saverio, dicendo che si può trovare Dio solo praticando la riflessione giornaliera, aveva avuto la stessa intuizione. Egli guardava due volte al giorno, con gli occhi del cuore, il proprio comportamento per scoprire a che punto Dio fosse stato presente. Stava molto attento a non permettere che le imperfezioni del suo carattere lo rallentassero o lo allontanassero dal lavoro di Dio. Anche a noi è possibile imparare da questo.

Guido spesso una motocicletta e mi capita di frequente di trovare dei chiodi conficcati nei copertoni. Come sono andati a finire lì? Non lo so. Per quanto tempo ho continuato a viaggiare avendoli nelle ruote? Non so neanche questo. La soluzione più evidente è quella di estrarli immediatamente, ma chi può dire quanto profondamente siano conficcati? È evidente che i chiodi hanno formato dei piccolissimi fori nei copertoni, ma è probabile che i chiodi stessi impediscano all'aria di fuoriuscire. Io so soltanto che potrei peggiorare la situazione se agissi in modo affrettato. È importante che io decida se la mia azione, una volta intrapresa, risulti utile o dannosa. Può darsi che, rimuovendo il chiodo, io provochi un danno maggiore che non lasciandolo, per il momento, dove si trova. Avviene lo stesso con i problemi che si manifestano nella nostra vita. Dopo aver scoperto qual è il problema o il dolore, dobbiamo riflettere bene prima di decidere che reazione avere.

Certi dolori non possono essere eliminati. Altri hanno un effetto benefico perché, se ascoltati, possono farti capire ciò che c'è di radicalmente sbagliato nella tua vita. Un vecchio proverbio irlandese dice: «Ogni male è un medico», perché può essere sia un messaggero sia un insegnante. Il dolore è il messaggero del corpo, in quanto mette in allarme il sistema nervoso, informandolo che una parte di te ha bisogno di attenzione immediata. Il dolore fisico ed emotivo, se vi si riflette sopra, può aumentare la nostra consapevolezza perché è più facile trovare Cristo nell'essere inerme che nell'essere forte. Molti di coloro che hanno affrontato delle avversità asseriscono che è possibile incontrare Dio nel deserto, nella malattia, nel lutto, o in qualche altra esperienza di dolore. Essi suggeriscono che è invece improbabile imbatterci in Lui in momenti di grandi trionfi. Quando tutto va bene, Dio sembra svanire nello sfondo. E non sembra neppure molto presente quando siamo in ottima forma.

Dobbiamo decidere se la debolezza o la malattia che scorgiamo in noi debba essere affrontata immediatamente oppure rimandata a un altro momento. Ricorda che anche i grandi chirurghi devono a volte decidere di soprassedere, perché sanno che qualsiasi interferenza con il corpo umano può causare un danno maggiore di quanto già non esista. Molti medici oggi credono che esista uno stretto legame fra la salute dei pazienti e i loro atteggiamenti mentali. Coloro che hanno un basso concetto di se stessi permettono probabilmente alle loro imperfezioni di limitare la propria visione e ciò può soffocare, a sua volta, la loro ambizione. Parecchi medici hanno spesso a che fare con pazienti che non mostrano seri sintomi di malattia, ma che dicono di sentirsi male. È questo un fatto abbastanza comprensibile, ma lo strano è che i pazienti non chiedono di essere curati. Sanno che ogni rimedio possibile implica dolore e questo è ciò che essi vogliono evitare a ogni costo. Uno di questi medici, il dottor Bernie Siegel, afferma che talvolta deve chiedere ai suoi pazienti: «Perché hai bisogno di questa malattia?». Egli sa che, quando le persone cambiano il proprio modo di vedere, i loro problemi di salute spesso spariscono. Portiamo con noi i semi della nostra stessa distruzione perché, se non riflettiamo, molte delle abitudini che ci trasciniamo dietro possono continuare ad affliggerci.

Esercizio Uno

«Vieni, seguimi»

Sistema la stanza e comincia con il metterti in posizione per la meditazione. Lascia che le sensazioni di fondo si facciano avanti, facendo attenzione a come ti senti e a quali sensazioni ed emozioni sono oggi in te più evidenti. Cerca di sentire il richiamo alla meditazione. Il corpo vuole arrendersi al fine di appagare il bisogno che sente di riposarsi e di rinnovarsi. Quando cominci l'esercizio di respirazione, cerca di far coincidere i suoi ritmi con te stesso. Adattati alla velocità della respirazione che sembra giusta in questo momento.

Nel cominciare, includi un rituale di apertura e un'intenzione. Devi prenderti del tempo per "entrare". Stai creando le condizioni in cui i tuoi desideri più profondi possono emergere alla superficie ed essere presi in considerazione. Cerca di far ciò senza sforzo.

Immagina che Gesù sia proprio qui di fronte a te e che ti dica queste parole: «Vieni, seguimi. Non temere, sono Io».

Rifletti sulle volte in cui Cristo ti è sembrato vicino nella vita. Quali sono state queste occasioni? Come si sono verificate? Ascolta Gesù mentre ti domanda: «Mi ami?». Ricordati le volte in cui sai di averlo fatto. Chiedi di provare di nuovo quel sentimento. Termina diventando nuovamente consapevole del respiro mentre entra nel tuo corpo e ritorna alla consapevolezza di come il suo ritmo si adatti al tuo umore del momento.

Esercizio Due

Un'occhiata al passato e al futuro

Dopo esserti preparato, comincia ad ascoltare qualsiasi suono tu riesca a percepire al di fuori della stanza. Distingui le diverse sfumature dei suoni. Forse senti delle voci nelle vicinanze. Riesci ad afferrare i diversi toni e risonanze? Queste voci sono profonde o leggere? Maschili o femminili? Porta adesso la tua consapevolezza del suono nello spazio in cui stai pregando. Cosa puoi sentire? Conduci infine il senso dell'udito ancora più all'interno. Riesci a percepire il suono del tuo stesso respiro? È profondo o superficiale? È ritmico oppure no?

Adesso, tenendo gli occhi chiusi, immaginati in questo luogo come se si trattasse di cento anni fa. Non esisteva ancora l'idea di te. Non eri neppure nato. Può darsi che questo luogo fosse solo un campo oppure un acquitrino, e che non ci fosse in giro nessuno. Cambia ora il punto su cui concentrare l'attenzione e cerca di immaginare come potrà essere questo posto fra cento anni. Neppure allora tu ci sarai. Qualcun altro avrà preso il tuo posto. Che aspetto avranno le cose? Sarai ricordato? Se sì, per che cosa sarai ricordato? Rilassati nella semplice consapevolezza che in questo momento sei vivo e presente. Qui. In questo tempo e in questo luogo. Ricordati che la vita è breve e che deve essere vissuta. Questa è la realtà. Non si tratta di un esercizio.

Termina rendendo grazie per tutto ciò che ti è stato dato.

Esercizio Tre

Vangelo di san Matteo

(Mt 13, 24-30)

La parabola della zizzania

Inizia con il leggere la storia del Vangelo.

Un'altra parabola espose loro così: «Il regno dei cieli si può paragonare a un uomo che ha seminato del buon seme nel suo campo. Ma mentre tutti dormivano venne il suo nemico, seminò zizzania in mezzo al grano e se ne andò. Quando poi la messe fiorì e fece frutto, ecco, apparve anche la zizzania. Allora i servi andarono dal padrone di casa e gli dissero: "Padrone, non hai seminato del buon seme nel tuo campo? Da dove viene dunque la zizzania?". Ed egli rispose loro: "Un nemico ha fatto questo". E i servi gli dissero: "Vuoi dunque che andiamo a raccoglierla?". "No" rispose, "perché non succeda che, cogliendo la zizzania, con essa sradichiate anche il grano. Lasciate che l'una e l'altro crescano insieme fino alla mietitura, e al momento della mietitura dirò ai mietitori: Cogliete prima la zizzania e legatela in fastelli per bruciarla; il grano invece riponetelo nel mio granaio"».

Innanzi tutto siediti, resta in piedi o sdraiato con la schiena ben dritta. Respira con il naso e inala lentamente, ritmicamente e profondamente. Mentre ti impegni nella respirazione, inala profondamente e lentamente, inviando l'aria direttamente giù fino alla parte più bassa dell'addome, in modo che, se appoggi la mano sull'ombelico, puoi sentire lo stomaco espandersi. Lascia quindi defluire il respiro lentamente verso l'alto, attraverso la parte centrale dei polmoni. Completa il ciclo della respirazione facendo passare l'aria attraverso la parte superiore del torace per uscire infine dalla bocca. Nel far questo, rilassati. Il movimento deve essere delicato e fluido. Non sforzarti e non essere teso. Normalmente, l'inspirazione dura circa quattro secondi, come pure l'espirazione, con una brevissima pausa in mezzo.

Ripensa adesso alla tua vita negli ultimi mesi. Paragonala a un giardino in cui crescono le più svariate abitudini e condotte. Alcune di queste abitudini ti appaiono molto piacevoli, mentre le osservi. Quali comportamenti ti pare siano stati utili in questi ultimi mesi? Come li hai sviluppati? Ti ha aiutato qualcuno a migliorare le tue capacità? Nella tua vita recente, ci sono anche delle abitudini personali che non ti piacciono in modo particolare? Quali sono? A volte dobbiamo vivere con il grano e le erbacce che crescono insieme, contemporaneamente. Dobbiamo sapere che la parte in ombra del nostro essere è una realtà, ma questo non significa che dobbiamo lasciarle prendere il sopravvento nel nostro giardino. Chiedi aiuto per riuscire a controllare le erbacce e chiedi anche che sia fornito lo spazio sufficiente affinché i fiori possano sbocciare.

8
MOMENTI CRUCIALI

> La tartaruga progredisce solo quando tira fuori il collo.
>
> *Rollo May*

Recentemente passeggiavo su una spiaggia sabbiosa con due amici quando la nostra conversazione cominciò a diventare molto seria. Uno di noi tre disse che stava considerando la possibilità di cambiare lavoro nel prossimo futuro. Questo cambiamento, spiegò, avrebbe comportato lo sradicamento dalla città in cui aveva vissuto per anni, e avrebbe implicato anche l'allontanamento dal gruppo di amici che si era fatta nel frattempo. Mentre camminavamo lungo la spiaggia parlando di questo, un rivoletto d'acqua apparve ai nostri piedi. I due di noi che stavano ascoltando scelsero di restare da una parte dell'acqua, mentre la signora che stava decidendo della sua vita andò dall'altro lato. Man mano che continuavamo a camminare, il rivoletto divenne più largo e più profondo e, dopo circa tre o quattro minuti, la nostra compagna d'un tratto guardò in su. Rimase turbata nel vedere che, mentre il nostro lato del ruscelletto era pianeggiante e sabbioso, il suo non lo era. Il ruscello aveva ora una profondità di circa tre o quattro piedi e, dalla sua parte, si curvava dirigendosi direttamente verso il mare. Così le si presentavano due possibilità. Poteva arrancare verso di noi, per raggiungerci, attraverso un ruscello abbastanza profondo, oppure tornare indietro e rifare tutta la strada. Se avesse scelto la seconda possibilità, avrebbe dovuto ritornare sui suoi passi per circa cinque minuti prima di potersi riunire a noi sul nostro lato dell'acqua. Quando si rese conto della difficile situazione e del problema che doveva affrontare, disse solo così: «È mai possibile che mi succeda sempre così? Perché mi butto regolarmente in situazioni senza mai pensare alle implicazioni? Sembra che io non guardi mai avanti alle possibili complicazioni che dovrò affrontare. Questo è proprio il mio schema di comportamento e mi costa sempre caro.» Sapeva di essere arrivata a un momento di crisi non solo nella nostra passeggiata, ma anche nella sua vita.

Molti scrittori spirituali del passato hanno avuto momenti di crisi nella propria vita e anche loro non li hanno trovati meno spaventosi dell'amica con cui avevo passeggiato. Nella sua autobiografia Thomas Merton, famoso monaco cartusiano, parla dei momenti di scelta nella vita della gente. In gioventù era stato ateo, ma Dio gli offrì l'opportunità per cambiare. Stava camminando lungo una strada a New York quando, senza una ragione particolare, fu d'un tratto sopraffatto da una sensazione: amava tutte le persone che gli stavano intorno. «Appartenevo a loro, ed esse a me. Era come uscire da un sogno di scissione. Non dovevo più vivere un'esistenza di separazione.»

Anche san Francesco Saverio ebbe dei momenti che rivelarono la conversione. Anche lui, come Merton, dovette servirsi della grazia offerta, nel momento in cui gli veniva presentata. Saverio racconta che, dopo il costante incoraggiamento da parte del suo mentore spirituale, sant'Ignazio di Loyola, il velo gli cadde dagli occhi. Cominciò a rendersi conto di chi era colui che lo invitava a una vita più piena e a capire qualcosa di ciò che una vita più piena poteva comportare. Queste parole del profeta Ezechiele cominciarono ad avere significato per lui: «Ti ho trovato, ho tagliato il legame e ti ho reso libero».

I due santi storici summenzionati mostrano come, di tanto in tanto, dei momenti cruciali o di cambiamento ci vengono offerti da Dio. Tale offerta può, tuttavia, essere vergata in toni delicati. Ricorda il ragazzo Samuele (1 Sam 3) e come Dio comunicò con lui. Dio parlò, ma si trattava di un lieve sussurro. Egli bussa, ma il suono può essere leggero come una brezza delicata. Boris Pasternak ce lo presenta così: «Quando un momento importante bussa alla porta della tua vita, è spesso leggero come il battito del tuo cuore, ed è molto facile non percepirlo». Alcune culture sembra abbiano un sesto senso circa il momento in cui tali sussurri stiano per verificarsi. Talvolta, gli aborigeni australiani intraprendono un viaggio che è in parte vocazione, in parte iniziazione e in parte cerimonia religiosa. Lo chiamano passeggiata. Sono alla ricerca di qualcosa, ma essi non sanno chiaramente cosa possa essere. Hanno la percezione, dentro se stessi, di una prontezza o maturità per la crescita. L'intuizione o uno spirito interiore dice loro che hanno bisogno di creare tempo e spazio nella propria vita, in modo da dare a ogni perla di saggezza che sta nascendo in loro l'opportunità di svilupparsi. Anche noi, di tanto in tanto, avremmo bisogno di allargare i nostri orizzonti in modo che i momenti cruciali non passino senza essere notati o senza che vi facciamo attenzione.

Un proverbio africano dice che chi non ha viaggiato abbastanza, crede che sua madre sia l'unica cuoca al mondo. Gli amanti della casa e coloro che non corrono mai alcun rischio, è probabile che abbiano la stessa visione. Può darsi che diventino eccessivamente cauti perché, come dice il libro dell'Ecclesiaste, chi osserva continuamente il vento non pianterà mai, e colui che osserva sempre una nuvola non raccoglierà mai. La nostra vita è formata e modellata dal coraggio delle decisioni prese e dall'audacia con cui afferriamo le opportunità che si presentano.

Un detto della Tanzania raccomanda di uscire dal proprio ambiente, perché «quelli che viaggiano vedono molto». Coloro che restano sempre vicini a ciò che è familiare e che non si allontanano dalla porta di casa svilupperanno probabilmente una visione parziale. Invece di vedere lo cose come sono in realtà, corrono il rischio di vederle come essi stessi sono e attraverso i loro occhiali colorati di rosa. Invece di lasciarsi controllare dagli eventi, dovrebbero essere loro a controllarli. Anche le aquile hanno a volte bisogno di una spinta. Victor Frankl, psicoterapista e sopravvissuto di Auschwitz, ha scritto che tutto si può levare a un uomo eccetto una cosa. Ognuno di noi può scegliere il proprio atteggiamento in qualsiasi tipo di circostanza e decidere come agire. Possiamo non controllare gli eventi, ma sta a noi decidere come reagire alle situazioni che ci colgono di sorpresa. Non dobbiamo permettere che le nostre azioni o i nostri atteggiamenti siano determinati dalla pressione esercitata dai nostri amici o dal pensiero istituzionalizzato. Nel *Kamasutra*, si legge un'interessante affermazione attribuita a Buddha. Non dobbiamo credere a qualcosa perché altri lo asseriscono, o perché è opinione comune, o perfino perché si immagina che Dio abbia così stabilito: «Non credere a niente che dipenda solo dall'autorità dei tuoi maestri o dei preti. Dopo aver indagato, credi solo a ciò che tu stesso hai esaminato e trovato ragionevole e che risulta essere un bene per te e per gli altri». Ricorda che la felicità e la libertà sono grandemente influenzate dal principio che alcune cose sono in tuo potere e altre no. Solo dopo aver affrontato questo fatto essenziale e aver imparato a distinguere fra ciò che si può e ciò che non si può controllare è possibile raggiungere la serenità e l'efficacia nell'agire. Questo consiglio è ben espresso nella preghiera: «Signore, donami la serenità per accettare quello che non posso cambiare, il coraggio di cambiare quello che posso cambiare, e la saggezza di capire la differenza».

Potrebbe essere utile qui una breve meditazione di Anthony De Mello, perciò la includo alla fine del capitolo. Egli suggeriva di rendere chiaro a se stessi, durante la preghiera, ciò in cui si crede veramente, perché è molto facile lasciarsi trasportare dai valori e dagli scopi degli altri. La pratica regolare della meditazione ci aiuta a scoprire che cosa è realmente importante per noi e indica chiaramente dove dovremmo investire le nostre energie e il nostro entusiasmo. Se ti resta difficile identificare le tue aspirazioni più profonde e a lungo termine, prendi l'abitudine di chiederti ogni giorno ciò che per te ha veramente significato nella vita. Tale pratica ti manterrà concentrato e in contatto con i tuoi ideali. Cerca di fare questo senza essere troppo critico nei confronti degli eventuali insuccessi in cui potresti incorrere. Katherine Mansfield ha detto di aver seguito una regola, consistente nel non rimpiangere mai alcun evento nella propria vita e nel non guardare mai indietro senza ragione, perché sentiva che il rimpianto, come emozione, era una straordinaria perdita di tempo. Il rimpianto non consente né di costruire e né di crescere. E buono solo per compiacersi. Guarda avanti per vedere cosa puoi fare, piuttosto che guardare indietro rimpiangendo ciò che non è stato raggiunto.

Dopo essere stato eletto papa, Giovanni XXIII narrò una simpatica storiella, proprio quando le cose non andavano troppo bene al concilio Vaticano da lui stesso organizzato. Raccontò che, durante il concilio, una notte si svegliò preoccupato per un problema particolare che sembrava non si riuscisse a risolvere. Si disse che non doveva pensarci più, perché la preoccupazione non lo avrebbe portato a niente. Ne avrebbe discusso con il papa la mattina seguente. Osservò poi con umorismo che, tutto a un tratto, un pensiero gli balenò alla mente: «Il papa sono io». Doveva accettare il fatto di essere lui il responsabile e di aver bisogno di coraggio per far continuare il concilio in nome della fede e della speranza.

Non è facile mantenere la fede in Dio quando si devono affrontare dei momenti difficili. A dimostrazione di ciò, mi piace raccontare la storiella di un signore che stava scalando una montagna e che scivolò su un dirupo. Si trovò appeso a una rupe che sporgeva nel vuoto allo stremo delle forze. Man mano che la sua forza diminuiva, guardò su verso il cielo e cominciò a gridare: «Se c'è qualcuno lassù, per favore mi aiuti».

A queste parole una voce scese giù dalle nuvole dicendo: «Sì, io, l'Onnipotente, sono sempre qui. Se vuoi essere aiutato devi semplicemente lasciare il sostegno a cui sei appeso e aver fiducia in me. Io ti salverò». L'uomo in difficoltà guardò giù in mezzo ai piedi. Vide il ripido picco a cui era appeso e si rese conto che il fondo della valle si trovava a migliaia di piedi sotto di lui. Guardò di nuovo in alto e gridò con rinnovato vigore: «C'è nessun altro lassù?». Nei momenti che segnano una svolta nella vita è difficile saltare nel vuoto senza guardare in basso e rimanerne terrificati. Questo è particolarmente vero se abbiamo ottenuto dei piccoli successi nella nostra vita. Uno dei pericoli o delle paure causato da un piccolo successo è la possibilità di perdere la capacità di osare. Possiamo non essere più capaci di rischiare il salto verso l'ignoto. Guardare in basso significa prendere in considerazione la possibilità di fallire e, nei momenti cruciali, val la pena di osservare che nel rischio esiste la possibilità di restare delusi. Il più grande pericolo è forse quello di non rischiare niente, perché la persona che non rischia niente, non fa niente, non ha niente, non è niente. Il poeta irlandese W.B. Yeats era solito dire che l'uomo ha bisogno di coraggio e temerarietà per discendere nell'abisso di se stesso, perché una delle caratteristiche più tragiche della natura umana è che molti di noi tendono a rimandare il vivere. Sogniamo qualche magico giardino delle rose oltre l'orizzonte e finiamo per non notare le tante rose che stanno fiorendo proprio oggi al di là delle nostre finestre.

Perciò i momenti che segnano una svolta nella nostra vita implicano un rischio. Ma fermati un attimo e chiediti onestamente: Conosco delle persone che si sono trovate ad affrontare dei momenti in cui avrebbero dovuto prendere una decisione cruciale e non hanno fatto niente? Persone che, per così dire, sono rimaste in piedi sul dirupo e non sono saltati giù? Che prezzo hanno pagato? Hanno afferrato il concetto che non prendere una decisione sul miglior modo di andare avanti è anch'essa una decisione?

Un uomo anziano mi ha detto di aver capito questa verità solo in tarda età. Da studente seminarista, per tre volte si è trovato ad affrontare la forte convinzione di doversi offrire volontario per lavorare nelle missioni. Ogni volta che la possibilità di scegliere gli si presentava, era subissato da varie buone ragioni per cui era meglio non offrirsi volontario. La prima volta pensò che le sue capacità sarebbero state utilizzate meglio in patria. Quando si presentò la seconda occasione di lavorare all'estero, era preoccupato per la sua salute. Alla terza opportunità, sentì nel cuore che questa volta doveva andare e che questa era la strada giusta per lui. Tuttavia si trattenne ancora una volta. «Non so cosa successe, ma credo che fossi preda della paura» così mi spiegò. «Rimpiangerò quel timore fino alla fine dei miei giorni perché, quando finalmente riuscii a raccogliere il coraggio di offrirmi volontario, mi fu risposto che avevo fatto passare troppo tempo e che ero ormai troppo vecchio per lavorare nelle missioni.»

Come molti altri, aveva scoperto quanto poco avesse usato i suoi talenti e quanta parte del proprio potenziale fosse rimasta inutilizzata e non esercitata. Capì che nei suoi momenti migliori avrebbe potuto restare in piedi, bello, coraggioso e ispirato. Accettò pure il fatto che per gran parte della sua vita aveva vissuto molto al di sotto di quel livello e che i suoi momenti di debolezza avevano dato vita a un senso di rimorso per le opportunità perdute. Il coraggio gli era venuto a mancare proprio nel momento cruciale in cui un'opportunità gli si era presentata. Sentì di aver sconfitto se stesso perché non aveva osato nella vita. Prega di restare indomito perché tu abbia sempre il coraggio di osare e perché ti sia data la grazia di continuare a tentare.

Esercizio Uno

Sii sincero con te stesso e con i tuoi valori

Adotta una delle posizioni per la meditazione, sedendoti, anche usando uno sgabello per preghiera, oppure stando sdraiato. Quando inizi la preghiera, cerca di captare qualsiasi suono al di fuori della stanza. Puoi forse sentire il vento là fuori, o un uccello, il traffico o altri esseri umani. Dopo qualche minuto, porta la tua attenzione all'interno della stanza. Cosa puoi sentire? Puoi forse udire altri che respirano, sedie che scricchiolano o altri corpi che si muovono? Presta adesso attenzione ancora più all'interno. Vedi se riesci a percepire il soffio dell'aria mentre entra nelle tue narici. Cerca di sentire il lievissimo suono che produce mentre entra ed esce dal tuo corpo. Osserva, in qualsiasi modo tu respiri, il ritmo e la velocità della tua respirazione. Nell'immaginazione, osserva l'aria mentre entra attraverso il naso. Osservala mentre colpisce la parte posteriore della tua gola, dirigendosi verso il basso. Sii consapevole di quando arriva alle spalle e va giù lungo le braccia. Gira ora intorno alla colonna vertebrale, dirigendosi poi verso l'addome. Continua a osservare il ritmo del tuo respiro e percepisci la sensazione di diventare più calmo.

Ritorna adesso con il pensiero agli ultimi giorni trascorsi. Immaginati mentre prendi parte agli avvenimenti che sono stati parte della tua esperienza. Nell'immaginazione, guardati mentre parli e interagisci con coloro che hai incontrato. Come si sono svolti questi incontri? Ti hanno portato verso una crescita personale e spirituale e – da una prospettiva soggettiva – ti sembra che il tempo passato sia stato un dono dello spirito? Ho aspettato con ansia le attività a cui ho preso parte e, se è stato così, l'esperienza è stata all'altezza delle aspettative? Ho avuto bisogno di imparare che, in genere, l'anticipazione è molto superiore alla realtà dei fatti? Se desideriamo appassionatamente qualcosa, quando finalmente si verifica, ci ritroviamo in genere a chiederci perché, tanto per cominciare, ce la siamo presa tanto a cuore. Se ho appreso qualcosa su me stesso da questa meditazione, in che maniera ciò che ho imparato influenzerà il mio modo di reagire ad avvenimenti futuri?

Porta a termine la meditazione diventando di nuovo conscio dei suoni più leggeri che puoi sentire dentro di te, come l'aria che entra nel tuo corpo attraverso le narici. Espandi adesso la tua consapevolezza al di fuori di te stesso e cerca di percepire i rumori nella stanza. Lascia infine che la tua consapevolezza spazi al di là della stanza cercando di identificare qualsiasi suono nelle zone circostanti.

Esercizio Due

Immagini dal passato

Ognuno di noi può ricordare dei bei momenti del passato. Questa meditazione cerca di utilizzare tali momenti. Quando ti sei sistemato in una delle posizioni per la meditazione, fai in modo che la tua respirazione diventi profonda. Mentre inspiri ed espiri, immagina di entrare sempre più profondamente dentro te stesso e di risalire all'indietro la scala della tua vita. La tua memoria ritorna agli eventi piacevoli della tua vita e ti senti molto felice. Man mano che scendi nel profondo di te stesso, ti senti sempre più felice. Adesso apri mentalmente gli occhi e osserva questo momento in cui ti sei sentito molto, molto felice. Dove ti trovi?

Lascia che questa immagine si dispieghi di fronte a te. È probabile che tu veda dei personaggi che entrano in scena. Essi offrono un contributo alla tua felicità. Ti fanno anche sapere cosa trovano di così attraente in te. Fatti illuminare da loro. Conserva il ricordo e la comprensione dei tuoi talenti. Rendi grazie a Gesù per questi doni e per il tempo felice che stai ricordando adesso. Quando sei pronto, immagazzina questi ricordi in modo che possano darti forza in occasioni future.

Termina la meditazione nello stesso modo in cui l'hai iniziata, cioè diventando consapevole del ritmo della tua respirazione e del suono che questa produce. Muovi quindi la tua consapevolezza verso l'esterno, ai suoni intorno a te e infine ai suoni al di fuori della stanza.

Esercizio Tre

Vangelo di san Luca

(Lc 24, 13-35)

Èmmaus

Un momento cruciale nel Vangelo.

Ed ecco in quello stesso giorno due di loro erano in cammino per un villaggio distante circa sette miglia da Gerusalemme, di nome Èmmaus, e conversavano di tutto quello che era accaduto. Mentre discorrevano e discutevano insieme, Gesù in persona si accostò e camminava con loro. Ma i loro occhi erano incapaci di riconoscerlo. Ed egli disse loro: «Che sono questi discorsi che state facendo fra voi durante il cammino?». Si fermarono, col volto triste; uno di loro, di nome Cleopa, gli disse: «Tu solo sei così forestiero in Gerusalemme da non sapere ciò che vi è accaduto in questi giorni?». Domandò: «Che cosa?». Gli risposero: «Tutto ciò che riguarda Gesù Nazareno, che fu profeta potente in opere e in parole, davanti a Dio e a tutto il popolo; come i sommi sacerdoti e i nostri capi lo hanno consegnato per farlo condannare a morte e poi l'hanno crocifisso. Noi speravamo che fosse lui a liberare Israele; con tutto ciò sono passati tre giorni da quando queste cose sono accadute. Ma alcune donne, delle nostre, ci hanno sconvolti; recatesi al mattino al sepolcro e non avendo trovato il suo corpo, son venute a dirci di avere avuto anche una visione di angeli, i quali affermano che egli è vivo. Alcuni dei nostri sono andati al sepolcro e hanno trovato come avevano detto le donne, ma lui non l'hanno visto».
Ed egli disse loro: «Stolti e tardi di cuore nel credere alla parola dei profeti! Non bisognava che il Cristo sopportasse queste sofferenze per entrare nella sua gloria?».

E cominciando da Mosè e da tutti i profeti spiegò loro in tutte le Scritture ciò che si riferiva a lui.
Quando furono vicini al villaggio dove erano diretti, egli fece come se dovesse andare più lontano. Ma essi insistettero: «Resta con noi perché si fa sera e il giorno già volge al declino». Egli entrò per rimanere con loro. Quando fu a tavola con loro, prese il pane, disse la benedizione, lo spezzò e lo diede loro. Ed ecco si aprirono loro gli occhi e lo riconobbero. Ma lui sparì dalla loro vista.
Ed essi si dissero l'un l'altro: «Non ci ardeva forse il cuore nel petto mentre conversava con noi lungo il cammino, quando ci spiegava le Scritture?». E partirono senza indugio e fecero ritorno a Gerusalemme, dove trovarono riuniti gli Undici e gli altri che erano con loro, i quali dicevano: «Davvero il Signore è risorto ed è apparso a Simone».
Essi poi riferirono ciò che era accaduto lungo la via e come l'avevano riconosciuto nello spezzare il pane.

Medita adesso sul racconto di san Luca facendo uso dei seguenti passi:

Passo uno. Gesù ha fatto amicizia con i due discepoli lungo la via. Egli costruirà una relazione con loro prima di cercare di lavorare con loro o di entrare nei loro cuori.

Passo due. Li ascoltò. È chiaro che essi necessitavano di qualcosa. I loro volti erano tristi, erano alla ricerca di qualcosa, ma Gesù non presunse di conoscere ciò che li disturbava o esattamente ciò che stavano cercando. Egli chiese, e poi ascoltò.

Passo tre. Solo dopo aver stabilito una relazione e dopo aver ascoltato, Egli iniziò a spiegare loro la parola di Dio. Egli diede vita alle Scritture. Sapeva che, come dice Shakespeare, «la maturità è tutto», perciò non fece niente in fretta.

Se conduci dei ritiri per giovani, chiediti quanto

spesso sai esattamente cosa vuoi, prima di sapere cosa cercano i giovani partecipanti o se sono in realtà pronti per le Scritture. Nella mia esperienza, ho notato che fare troppo presto qualsiasi riferimento a Gesù o ai Vangeli fa sì che essi si chiudano completamente. Dovrei forse cominciare con un esercizio di fantasia per ammorbidire il terreno?

Passo quattro. A un certo punto Cristo arrivò a un incrocio e offrì loro la possibilità di scelta. Inoltre, si comportò come se volesse proseguire. Essi dovettero percepire, mentre Egli stava per lasciarli, che stavano per perdere qualcosa di meraviglioso, ed essi scelsero di chiedergli di restare.

Passo cinque. Quando il Suo dono d'illuminazione fu concesso, ebbe una forza tale che li rese dei missionari, cioè delle persone che sentirono il desiderio di andare a portare il dono ad altri.

Può darsi che, mentre riflettiamo su ciò, ci venga fatto di osservare che una porta venne chiusa all'inizio della scena, quando camminavano a testa china perché portavano nel cuore ciò che era avvenuto a Gerusalemme, ma un'altra porta venne aperta alla fine, quando rimasero colpiti e videro in un modo nuovo e con maggior chiarezza.

Essi non Lo conoscevano, ma in seguito Lo riconobbero nell'atto di spezzare il pane. In questo tipo di esercizio, cerca di creare un'immagine del pane che viene spezzato, ma ricorda che anche la Scrittura viene resa manifesta. Nella narrazione del Vangelo, nessuno riconobbe immediatamente Gesù dopo la risurrezione. Spesso non è facile localizzarLo.

Ricorda ora le volte in cui anche tu hai camminato a testa china. Egli ha camminato con te quando ti sentivi giù. Egli ha fatto sì che essi esplorassero le loro domande e i loro dubbi. Essi ebbero il buon senso, o il buon senso fu donato loro, di chiederGli di rimanere e di spezzare il pane per loro.

La loro intenzione era quella di rendere manifesta la propria storia.

9

SVILUPPA I TUOI TALENTI

> I genitori possono solo dare dei buoni consigli o indirizzare sul sentiero giusto, ma la formazione finale del carattere di una persona dipende unicamente da lei.
>
> *Anna Frank*

Rifletti per un momento su questa storiella che i genitori africani raccontano ai loro bambini come avvertimento. Un giorno, una scimmia e una tartaruga facevano una passeggiata insieme. Tutto a un tratto videro un banano sradicato sul sentiero davanti a loro. Poiché ambedue volevano l'albero, decisero di tagliarlo a metà. Il signor Scimmia prese la parte superiore con le banane. Era certo di aver avuto la parte migliore nella suddivisione e lasciò le radici al signor Tartaruga. Ognuno dei due piantò la sua parte di bottino. Dopo qualche settimana le radici che il signor Tartaruga aveva piantato cominciarono a prosperare, mentre le banane piantate dal signor Scimmia cominciarono ad andare a male e a marcire. La morale di questo racconto è che talvolta le persone o le pratiche che sembrano promettere molto alla fine danno ben poco, mentre spesso è vero il contrario per coloro che sembrano aver ricevuto assai poco. È difficile stabilire quali alberi produrranno i frutti più salutari.

Anthony De Mello ha sottolineato più volte questo punto e ha raccontato il seguente aneddoto a mo' di dimostrazione. Un mendicante faceva visita ogni giorno al re, recandogli un cesto di frutta. Poiché la frutta sembrava un po' troppo matura, il re faceva gettare dalla finestra la massa polposa, non appena il mendicante aveva voltato le spalle per andarsene. Un giorno, tuttavia, mentre la frutta veniva gettata via, una scimmia riuscì a impossessarsi di una susina matura e cominciò a divorarla. Dopo non molto, morsicò qualcosa di duro e subito sputò un diamante che vi era stato nascosto all'interno. Questo fatto causò costernazione. Il dono del mendicante aveva contenuto una ricchezza inimmaginabile, ma nessuno nel palazzo lo sapeva al momento dell'offerta. Per quanto ne sappiamo, il re e la sua corte stanno ancora cercando per lungo e per largo i cesti della frutta di cui si erano sbarazzati, sperando di riuscire a ricuperare i tanti tesori che avevano gettato via così alla leggera. Non sempre sappiamo dove possano trovarsi i nostri migliori talenti. A volte, abbiamo bisogno di mani esperte che ci dirigano verso i gioielli che abbiamo avuto in eredità.

Questo punto mi fu fatto presente recentemente, in occasione di un mio incontro con degli aborigeni australiani, i quali parlavano delle loro usanze e della loro eredità ancestrale. Il gruppo stava parlando di memorie dell'infanzia e di quello che ricordavano dei propri genitori. Rammentavano vividamente che, da piccoli, venivano fatti sedere intorno a un falò, mentre venivano loro narrate tante storie. Benché al momento non se ne rendessero conto, venivano loro trasmesse la storia e le tradizioni del loro popolo e, da come ricordano la scena, tale esperienza sembra essere stato un lavoro molto difficile.

Venivano fatti sedere e restare immobili per ore con la schiena dritta, affinché non restassero ignoranti della loro storia. Se non sedevano in silenzio, venivano pungolati con delle lance per mantenere desta la loro attenzione e ciò, secondo quanto hanno raccontato, veniva fatto perché «dapprima l'insegnamento dei nostri anziani non sembrava avere senso. Man mano che siamo cresciuti, però, le storie e le tradizioni hanno cominciato a formare un insieme compatto. Adesso sappiamo che i nostri genitori e i membri anziani della tribù sentivano il dovere di trasmetterci la nostra tradizione. Conoscevano il valore di quella tradizione anche se noi non ce ne rendevamo conto. Erano i custodi del nostro diritto di nascita. Se noi non sapevamo cosa avremmo potuto gettar via nella nostra stupidità e ignoranza, essi si assunsero il compito di passare a noi, intatta, l'eredità dei tempi passati».

Gli anziani della tribù credevano di avere un legato di valore inestimabile da trasmettere ai loro discendenti, e il fatto che i giovani fossero inconsapevoli del valore del loro diritto di nascita dava loro una responsabilità ancora maggiore. Può darsi che anche i nostri genitori siano stati altrettanto saggi e generosi. Forse anch'essi hanno lottato per il nostro bene per trasmetterci il nostro retaggio di fede intatto. Se è così, sarebbe forse bene che tu rendessi grazie per l'inizio positivo che hai ricevuto nella tua relazione con Dio. Se i tuoi genitori non sono stati proprio perfetti, può darsi che tu sia stato abbastanza fortunato da essere circondato da nonni o parenti che hanno agito da mentori nel tuo cammino spirituale.

Pensa per un momento a coloro che hanno camminato con te nel tuo cammino di fede. Chi erano? Perché ti tornano alla mente? Qual era il dono speciale che ti hanno offerto? Avevano qualche manierismo o espressione che è ora parte del tuo carattere? Ti hanno forse mostrato come estrarre il meglio da te stesso e da coloro che ti circondano? Ti hanno forse instillato un atteggiamento positivo verso la vita o la volontà di offrire i tuoi servigi qualora ce ne sia bisogno? Se desideri pregare per chi è stato un'ispirazione per te, nella tua vita, ho incluso una meditazione adatta, alla fine del capitolo.

Non è insolito aver bisogno di sostegno durante il proprio cammino spirituale. Gli stessi apostoli continuavano a chiedere di essere rassicurati mentre progredivano nella loro vita di fede, e furono fortunati che sia Gesù sia Giovanni Battista si rivelassero capaci di formarli e motivarli nei loro momenti di maggiore vulnerabilità. Gesù chiedeva loro più di quanto si aspettassero. Invece di restare dei semplici seguaci, venivano invitati a diventare corredentori nel presentare il regno.

È possibile che Cristo chieda tutto questo a noi? Quando, inizialmente, facciamo questa domanda, l'idea può sembrare assurda perfino a noi stessi. Pochissimi di noi si considerano come discepoli naturali. È molto più probabile che pensiamo a noi stessi come si videro i primi discepoli, cioè piuttosto timorosi e abbastanza confusi. Prima che lo Spirito Santo venisse a ispirarli con la sua grazia, essi sentivano di avere ben poco da offrire. Si sbagliavano.

Questo mi fa venire in mente una scena di cui sono stato testimone di recente a una novena cui ho partecipato. Una sera, un'anziana signora chiese al predicatore come poteva aiutare suo nipote che aveva smesso di andare a messa. La mancanza di fede del ragazzo la preoccupava, ma non sapeva cosa fare. Il predicatore la consigliò di essere così saggia da non dire né fare niente, ma di continuare ad andare regolarmente a messa, come era sua abitudine. Il pastore sottolineò il fatto che il nipote avrebbe potuto constatare personalmente la sicurezza e la speranza che la messa le infondeva. Vedendo questo era possibile che, in un momento successivo e più opportuno, il ragazzo si sentisse incoraggiato a ritornare alla pratica della fede. L'esempio della nonna, e l'impatto evidente che la sua fede aveva su di lei, sarebbe valso più di mille prediche. Oggi più che mai, coloro che sono in lotta con la propria fede hanno bisogno di incoraggiamento e di sostegno da parte di chi sta loro vicino.

Talvolta questo messaggio viene appreso in luoghi inconsueti. Non molto tempo fa stavo passeggiando fra le dune di sabbia irlandesi. Mi pare che all'intorno ci fossero moltissimi gabbiani. Tanti erano sani, rumorosi e attivi, mentre uno appariva magro e debole. All'improvviso un uccello da preda piombò giù dal cielo ventoso e afferrò il gabbiano più debole. In un attimo, si diffuse il panico. Centinaia di gabbiani arrabbiati e spaventati volteggiarono intorno. Nella loro paura e nell'ansia si lanciavano contro l'assalitore, tentando di fargli allentare la presa sulla preda. Ma proprio nel momento decisivo, quando sembrava che il loro numero li avrebbe portati al successo, indietreggiarono per la paura e lasciarono morire il loro amico. Se avessero attaccato *en masse*, sono certo che avrebbero sconfitto il loro nemico. Nel sostenersi a vicenda, avrebbero avuto più fortuna. Divisi, divennero una facile preda per il loro avversario.

In tempi recenti, molti di coloro che sono in lotta con la propria fede potrebbero certo far buon uso di qualsiasi tipo di sostegno proveniente da chi sta loro vicino. Non vorrei tuttavia dare l'impressione che, se vogliamo prosperare, sia necessario fare affidamento solo sui nostri genitori, anziani, compagni o perfino sul nostro Dio. Se desideriamo che la nostra fede fiorisca e aumenti, dobbiamo essere noi stessi i giocatori principali. Come dice l'induismo, ciascuno di noi ha il dovere di scoprire il proprio karma e sviluppare il proprio talento. Stiamo compiendo un viaggio, e non possiamo affidarci completamente ad altri per farci indicare la strada da percorrere, senza che ci sia alcuno sforzo da parte nostra. In ogni viaggio – e io ne ho fatti parecchi – i pericoli da affrontare riempiono di paura la nostra fantasia. Se tu sei come me, e specialmente se sei un viaggiatore solitario, le tue paure sono probabilmente una combinazione di realtà e d'immaginazione. Queste hanno inizio prima ancora che tu compia il primo passo fuori di casa. In teoria, sai bene che chi viaggia da solo va più lontano e più in fretta. È in parte per questo che i viaggiatori solitari si mettono in marcia da soli, ma ciò non fa loro diminuire il battito affannoso nel petto. Ogni tipo di incertezze ti aspettano in qualsiasi viaggio. Ti vengono in mente tutte le cose che potrebbero andar male. Hai paura di ammalarti, di essere derubato, di restare senza soldi o di non aver idea del linguaggio parlato nel luogo in cui ti trovi. Se il viaggio che compi è sia solitario sia ad alto rischio, immagini te stesso mentre arrivi in una città estranea nel cuore della notte e senza aver un posto dove andare. Se ciò che descrivo sembra spaventoso, è proprio quello che potrebbe accadere. Tanto per cominciare, potresti chiederti perché mai qualcuno sano di mente dovrebbe intraprendere questa specie di fuga.

La mia risposta è che il timore stesso può essere proprio ciò che dà a tale viaggio un gusto particolarmente eccitante. Anche nel cammino di fede il misterioso e l'ignoto possono a volte essere la parte più interessante del percorso. Ricordo che un pilota di auto mi raccontò di sentirsi, all'inizio di ogni gara, fisicamente male per la paura. Una parte di lui non voleva iniziare, mentre l'altra parte sapeva che, non appena fosse partito, l'allegria e l'eccitazione sarebbero arrivate, sparandogli adrenalina nel corpo. Una volta cominciata la gara, cominciava a vivere in un'atmosfera rarefatta, e molti viaggiatori romantici direbbero lo stesso. Allo stesso modo, una volta superata la fase iniziale di apprensione, cominciano a capire nuovamente perché affrontano un'impresa così rischiosa.

È possibile che anche noi sperimentiamo quello stato di esaltazione, se abbiamo abbastanza coraggio per intraprendere il cammino della fede. Quello che stiamo intraprendendo è un viaggio alla ricerca dell'anima, durante il quale guarderemo dentro di noi e verso il nostro Dio.

Una parte di ciò che stiamo facendo è tentare di portare alla luce la consapevolezza dei nostri talenti nascosti. Michelangelo diceva che, ogni volta che osservava un blocco di marmo, poteva vedere la bella statua in esso contenuta. Il suo compito era quello di estrarre e rivelare tale scultura. Il nostro compito non è diverso. Dobbiamo cercare dentro di noi e chiedere che i nostri potenziali talenti, di cui Dio ci ha fornito, possano essere portati alla luce. Se pensi che ciò sia possibile, al momento opportuno, probabilmente lo sarà. Se, d'altra parte, pensi che questo non accadrà, anche in questo caso avrai, probabilmente, ragione. Chiedi che dei tuoi talenti portati alla luce venga fatto il miglior uso, perché non sempre è così. L'artista inglese Bridget Brophy era solita dire di aver notato che, osservando i suoi studenti, non sempre erano gli artisti più dotati del suo studio che emergevano in primo piano. Spesso a diventare i migliori artigiani erano quelli forniti di determinazione e serietà d'intenti. Aveva notato che il dizionario è l'unico luogo in cui "successo" viene prima di "lavoro". Le sue osservazioni non sono una novità. Lo stesso Cristo raccomandò qualcosa di simile nella parabola dei talenti, e ho perciò incluso una meditazione sui talenti alla fine del capitolo.

Durante la meditazione, prega per i tuoi talenti personali. Chiediti quali siano e da dove provengano. Come potresti usarli nel modo migliore? Sono rimasti latenti e non sono stati riconosciuti per troppo tempo? Hai avuto paura di perdere i tuoi talenti oppure hai temuto di essere fatto oggetto di disprezzo qualora si fosse risaputo quanto poco talento tu pensassi di avere? Anthony De Mello ha posto l'attenzione sull'uso, o meno, che molti di noi fanno dei propri talenti. Egli credeva che la maggior parte della gente utilizza non più del due per cento delle proprie capacità. Quando i suoi ascoltatori asserivano che tale percentuale non poteva essere esatta, egli insisteva che lo era.

Per molti di noi può risultare imbarazzante esaminare la ragione per cui non diamo via libera ai nostri talenti. Pensaci un momento. Sei bravo a demoralizzarti? Cosa succederebbe se qualcuno in strada ti si avvicinasse e ti dicesse tutte le cose negative che di solito dici a te stesso? La prenderesti bene? Se la risposta è no, perché allora accetti di sentire le stesse cose da te stesso?

Che cosa ci impedisce di voler far uso dei nostri talenti? Abbiamo paura di fallire? Se non intraprendiamo il viaggio, non possiamo fallire nell'arrivare. Nello stesso modo, se non ci assumiamo il rischio di esplorare i nostri talenti, nessuno ci vedrà fallire. Ma questa è una ben misera consolazione, che ci sminuisce. Niente stimola la conquista quanto il successo. E niente rende letargici come il ricordo di un passato insuccesso. Siamo tentati di diventare come Moloch, il personaggio del *Paradiso perduto* di Milton. Egli era una persona che «piuttosto che essere di meno, preferiva non essere niente del tutto». Nessuno può sapere cosa può diventare a meno di fare un tentativo. I libri di storia sono costellati di esempi di individui che vennero dapprima disprezzati per la semplicità delle loro idee o per i loro primi insuccessi. Pensa a Samuel Morse. Nel 1842 il Congresso americano non diede molta importanza alla sua idea sull'utilità di una linea telegrafica attraverso l'America. Un senatore suggerì la possibilità che egli fosse mentalmente malato. In Gran Bretagna, Thomas Edison fu scoraggiato nello stesso modo quando cercò di promuovere il concetto della luce elettrica. Amici dei due scienziati, unitamente al pubblico in genere, cercarono di criticarli e di sfiduciarli. Ma essi non si lasciarono fermare.

Molti di noi hanno paura di esplorare i propri talenti e non amano alterare o modificare il proprio carattere per adattarsi alle circostanze che incontrano. Preferiamo cercare di cambiare quelle situazioni piuttosto che scavare alla ricerca di nuovi talenti dentro di noi. Un anziano vescovo anglicano racconta una storia contro se stesso che illustra benissimo questo punto. Come giovane missionario, ricorda di essere stato mandato presso una remota tribù nello Zambia, come altri missionari erano stati inviati dall'Inghilterra in quella stessa regione settanta anni prima. Essendo uomini molto zelanti, avevano deciso di tradurre la Bibbia nel linguaggio locale. Con il passare degli anni, essi si avventurarono sempre più lontano dalla loro base per diffondere la Parola. Nel far questo, si resero conto che la lingua locale in cui avevano tradotto la Bibbia era decisamente localizzata. Infatti, solo uomini delle tribù che vivevano in un raggio di circa trenta miglia potevano capirla. Tuttavia, poiché questi primi missionari avevano speso così tanto tempo nella traduzione della Bibbia, decisero di continuare a usare quella versione pur recandosi molto lontano. Nessuno ne capiva una parola. Gli uomini della missione non poterono o non vollero cercare nuove soluzioni, anche se le circostanze che incontravano erano radicalmente diverse da prima. Spesso non abbiamo voce in capitolo nelle situazioni che ci si impongono. L'unica cosa su cui abbiamo potere è il modo in cui reagiamo a tali situazioni, e per reagire con successo dobbiamo cercare e sviluppare i talenti che sono latenti dentro di noi.

Esercizio Uno

Per coloro che ti hanno ispirato

Assumi una delle solite posizioni per la meditazione e rilassati in modo da sentirti comodo. Fa' attenzione a come si sente il tuo corpo, partendo dai tuoi sentimenti e dalle tue sensazioni. Dirigi adesso la tua attenzione alla cima della testa e al viso. Senti qui qualche formicolio? Prenditi un po' di tempo per sviluppare la tua consapevolezza. Presta adesso attenzione alle spalle. La tensione è spesso immagazzinata proprio qui. Quando sei pronto, porta l'attenzione al petto. È rilassato? Lascia che la tua consapevolezza si sposti ora in basso verso il tronco. Sii solo conscio di come si sente. Sposta ora l'attenzione verso le gambe e i piedi, notando come essi siano i punti di contatto con la sedia e con il pavimento. Diventa veramente consapevole delle diverse parti del tuo corpo. Prenditi tempo. Compi adesso un lento viaggio attraverso di esso. Diventa conscio della tua testa, del volto, del collo, delle spalle, del petto, dell'addome, dei glutei, delle gambe e dei piedi. Senti semplicemente le sensazioni che esistono in ciascuna parte del tuo corpo. Impiega tutto il tempo necessario a compiere bene questo esercizio. Quando sei pronto, vai avanti.

Ritorna con la memoria a coloro che divennero tuoi amici quando eri un bambino. Com'erano queste prime amicizie infantili? Come sono le tue amicizie di oggi paragonate a quelle dell'infanzia? Cos'hai imparato dai tuoi genitori circa l'amicizia? Che tipo di amici avevano i tuoi genitori? Che tipo di amici vorresti avere in futuro? Sii preciso.

Ti senti degno dei tuoi amici? Esamina un amico o un'amica in particolare e il dono che egli o ella ti ha fatto. Qual è questo dono? Fai una preghiera di ringraziamento per il dono e per il donatore. Ricorda che la relazione che hai con gli altri è probabilmente la stessa che hai con Dio.

Esercizio Due

Preghiera a san Giuseppe

Spesso penso a san Giuseppe come a uno dei donatori più altruisti. Per questa meditazione, fai uso di uno degli esercizi preliminari. Per prima cosa ripensa a Giuseppe e a Maria mentre compivano il loro viaggio verso Betlemme. Immagina la scena. Una coppia che ha viaggiato da sola, senza aiuto, e che è pervenuta in un luogo così lontano. Pensa alle difficoltà. Sono ambedue molto confusi e impauriti. Pensa ora al povero Giuseppe e al messaggio che portava con sé. Sua moglie aspettava un bambino, ma non da lui. Pensa alla sua rabbia e confusione. Si chiede se è stato veramente un angelo che gli ha portato il messaggio. Può Dio chiedere ciò a un semplice mortale? Padre, fammi capire qual è la mia parte in questo tuo piano. So che il bambino in arrivo non è mio, non è la mia carne o il mio sangue. Com'è possibile che Tu e il Tuo piano siate così nascosti? Perché ferisci e rendi la vita così difficile ai Tuoi amici? Sono perduto, eppure sento un'ondata di speranza. Di che si tratta? Di quali miei doni o talenti ha bisogno adesso la mia sposa da me?

Esercizio Tre

Vangelo di san Matteo

(Mt 25, 14-30)

La parabola dei talenti

Per prima cosa raccogliti per un momento. Poi leggi la storia del Vangelo e preparati per la preghiera.

> «Avverrà come di un uomo che, partendo per un viaggio, chiamò i suoi servi e consegnò loro i suoi beni. A uno diede cinque talenti, a un altro due, a un altro uno, a ciascuno secondo la sua capacità, e partì. Colui che aveva ricevuto cinque talenti, andò subito a impiegarli e ne guadagnò altri cinque. Così anche quello che ne aveva ricevuto due, ne guadagnò altri due.
>
> Colui invece che aveva ricevuto un solo talento, andò a fare una buca nel terreno e vi nascose il denaro del suo padrone. Dopo molto tempo il padrone di quei servi tornò, e volle regolare i conti con loro. Colui che aveva ricevuto cinque talenti, ne presentò altri cinque, dicendo: "Signore, mi hai consegnato cinque talenti; ecco, ne ho guadagnati altri cinque". "Bene, servo buono e fedele", gli disse il suo padrone, "sei stato fedele nel poco, ti darò autorità su molto; prendi parte alla gioia

del tuo padrone". Presentatosi poi colui che aveva ricevuto due talenti, disse: "Signore, mi hai consegnato due talenti; vedi, ne ho guadagnati altri due". "Bene, servo buono e fedele", gli rispose il padrone, "sei stato fedele nel poco, ti darò autorità su molto; prendi parte alla gioia del tuo padrone".
Venuto infine colui che aveva ricevuto un solo talento, disse: "Signore, so che sei un uomo duro, che mieti dove non hai seminato, e raccogli dove non hai sparso; per paura andai a nascondere il talento sotterra: ecco qui il tuo". Il padrone gli rispose: "Servo malvagio e infingardo, sapevi che mieto dove non ho seminato e raccolgo dove non ho sparso; avresti dovuto affidare il mio denaro ai banchieri e così, ritornando, avrei ritirato il mio con l'interesse. Toglietegli dunque il talento e datelo a chi ha dieci talenti. Perché a chiunque ha, sarà dato e sarà nell'abbondanza; ma a chi non ha, sarà tolto anche quello che ha. E il servo fannullone gettatelo fuori nelle tenebre; là sarà pianto e stridore di denti".»

Comincia adesso a riflettere sui tre personaggi cui erano stati affidati i talenti. Osserva i diversi modi in cui hanno usato i loro doni. Dopo un po', lascia che la tua immaginazione ti ponga nella scena del Vangelo. Rifletti attentamente sui talenti che ti sono stati dati e sul modo in cui li hai usati e sviluppati. Certa gente non riconosce i propri talenti: e io, riconosco i miei? Il personaggio dell'unico talento, che è stato maledetto nella storia, non era colui che ha tentato e ha fallito, ma colui che ha avuto troppa paura per rischiare di usare i suoi talenti. Alcune persone, come il padrone nella storia, hanno la grande capacità di sviluppare i talenti degli altri. Egli non ordinò cosa dovessero fare. Diede loro il potere. Ho aiutato altri a scoprire le proprie capacità nei mesi passati? Se l'ho fatto, ne rendo grazie. Se non l'ho fatto, chiedo di essere in grado di donare maggior incoraggiamento in futuro.

Termina con il Padre Nostro.

Esercizio Quattro

Momenti di pace con Nostra Signora

Immaginati in un luogo tranquillo con la Madonna. D'un tratto appare l'angelo. Questo angelo reca uno speciale invito da parte di Dio. La Madonna può accettare o rifiutare l'offerta. Si chiede come mai il Signore abbia scelto lei fra tante. Benché non comprenda cosa stia succedendo intorno a lei, o cosa le si chieda di fare, essa accetta. In seguito, medita su tali eventi nel suo cuore. Nonostante le sue paure e la sua confusione, è andata avanti nel compimento di ciò che le era stato chiesto.

Forse il Signore sta ora invitando anche me a essere parte della sua azione di salvezza nel mondo. Prego il mio angelo custode affinché mi dia la luce per vedere tale invito e il coraggio per essere aperto a una tale offerta. Rendo quindi grazie per il breve tempo passato con la Madonna e lascio la scena della meditazione.

10

VIVERE I SOGNI

> Chi guarda fuori, sogna. Chi guarda dentro, è sveglio.
>
> *C.G. Jung*

> Dove non c'è una visione, la gente muore.
>
> *Proverbi 29, 18*

Alcuni anni fa il rettore di una delle case dei gesuiti stava per terminare i sei anni del suo mandato. Era una persona straordinaria e per le sue molte doti era stato messo in una comunità che contava parecchi individui difficili. Aveva avuto molto successo nel suo lavoro e, poiché erano gli ultimi giorni del suo ufficio, volevo congratularmi con lui. Quando lo ringraziai, lodandolo per ciò che aveva fatto ed esprimendo la mia meraviglia per come era riuscito a mantenere la pace e l'armonia in un gruppo così eterogeneo, egli mi spiegò modestamente che non desiderava restare intrappolato nella sindrome di Mordecai. Nel vedere sul mio viso un'espressione perplessa, mi disse di andare a consultare il libro di Ester. Ecco la storia che vi trovai.

Sembra che il personaggio Mordecai fosse un anziano ebreo la cui figlia lavorava nel palazzo del re. Anche il primo ministro del paese lavorava là e ogni giorno, recandosi a palazzo, veniva salutato con grande rispetto da tutti. Poiché il primo ministro proveniva da umili origini, questa deferenza era molto importante per lui e quasi tutto nella sua vita sembrava meraviglioso. Solo una cosa disturbava la sua pace. Un piccolo neo esisteva nella dolcezza della sua vita. Mentre andava tutti i giorni al lavoro, il vecchio ebreo Mordecai era l'unico che incontrava sulla sua strada a non tributargli il rispetto che sentiva di meritare. Con il passar del tempo, questa mancanza di rispetto sia per il suo ufficio, sia per la sua persona, cominciò a infastidire il primo ministro sempre di più. Alla fine non poté più sopportare l'insulto di essere ignorato. Fece rapporto al re dicendo che Mordecai era un soggetto importuno che probabilmente stava fomentando una rivoluzione nel regno. In forza di queste affermazioni, il povero Mordecai fu arrestato e accusato e, a causa delle false accuse mosse contro di lui, il re lo condannò a morte. La sera prima dell'esecuzione di Mordecai, sua figlia compiva il suo solito lavoro nel palazzo. Portò la cena al re ma, mentre lo faceva, il re notò che era sconvolta. Quando il sovrano le chiese la ragione, ella disse che suo padre sarebbe stato giustiziato la mattina successiva. Dapprima il re cercò di spiegarle che suo padre veniva giustamente punito ma, dopo aver sentito la sua versione della storia, la verità venne lentamente alla luce e, per farla breve, Mordecai fu rilasciato e il primo ministro disonorato prese il suo posto in cella.

La morale della storia di Mordecai, come il competente rettore cercava di far notare, è che non si dovrebbe permettere a una piccola pecca di guastare una cosa ottima o, come soleva dire mia madre: «Perché arrabbiarsi per un piccolo difetto in un bambino altrimenti buono?». Il padre superiore spiegò che, all'inizio del suo mandato, notò che, in una così grande comunità, solo due o tre individui erano piuttosto difficili da trattare. Decise allora di dedicare il suo tempo e la sua energia alla grande maggioranza degli altri che erano ben motivati. Rifiutò di perdere il suo tempo con i brontoloni e i dissidenti che, in ogni caso, sarebbe stato impossibile riformare. Diresse le sue energie verso i componenti positivi della comunità invece di rimanere turbato dai simulatori.

Se riusciamo ad applicare la storia di Mordecai e il suo principio a noi stessi ne trarremo certo dei benefici. Ci rendiamo conto e diamo atto alle vaste aree della nostra vita che sono sane e produttive oppure permettiamo alle trascurabili parti che sono meno che perfette di sconfiggerci? Quando sogniamo e fantastichiamo su ciò che vorremmo raggiungere nella vita, lasciamo che delle piccole imperfezioni soffochino le nostre aspirazioni? In Marocco c'è un detto: «Colui che teme qualcosa le conferisce potere su di lui». Allora, da cosa mi lascio intimorire? Cosa temo che Dio potrebbe fare nella mia vita, oppure cosa lo supplico di non fare?

Su un certo livello tutti noi preghiamo per ottenere successo e felicità, ma queste due parole significano cose totalmente differenti per persone diverse. Il cantante pop Sting ha detto di essere sempre stato convinto che successo e felicità fossero la stessa cosa. Adesso sa che non lo sono. In una intervista televisiva, ha spiegato all'intervistatore che quando aveva più successo nella sua professione, era più infelice nella sua vita interiore. Alcuni considerano la felicità una risposta mentale ed emotiva a uno stimolo esterno temporaneo. Cercano di afferrare la felicità credendola una cosa, ma ciò che non capiscono è che la felicità non è una cosa: è un modo di vedere le cose. Se riuscissimo a guardare la vita con gli occhi e il cuore pieni di gratitudine, saremmo sulla buona strada per apprendere un profondo segreto: che è impossibile essere grati e infelici nello stesso tempo.

Anthony De Mello era solito raccontare una bella storia di un uomo che cercava sempre di essere felice e che pensava che, se avesse posto ogni suo desiderio e fantasia davanti a Dio, una volta concessagli la realizzazione di essi, sarebbe stato la felicità personificata. Inutile dire che Dio si stancò presto delle costanti perorazioni e richieste che Gli venivano rivolte e alla fine si rivolse all'uomo dicendogli che poteva veder realizzati tre desideri, dopo di che nessun'altra richiesta sarebbe stata esaudita. Il supplicante ne fu deliziato, ma si domandò se era proprio vero.

«Sì, tre desideri qualsiasi, a condizione che poi, una volta realizzati, tu la smetta di disturbarmi» disse il Signore.

L'uomo decise che il suo primo desiderio sarebbe stato quello di scambiare la moglie con una nuova, perché stava diventando un po' vecchia e malandata. Il Signore acconsentì, a condizione che l'uomo fosse assolutamente sicuro che questo era ciò che voleva. Quando tornò a casa, fu accolto da parenti in gramaglie che gli riferirono che la sua buona moglie era deceduta durante la sua assenza. Come tutto sarebbe stato triste per lui adesso, dicevano, e dove avrebbe mai trovato un'altra donna capace di sopportare i suoi ghiribizzi e le sue idiosincrasie con tanta pazienza? Dapprima l'uomo pensò che i suoi vicini erano squilibrati ma poi, più pensava alle buone qualità di sua moglie e più cominciava a vedere che forse aveva davvero gettato via una perla di grande valore. Di conseguenza, si precipitò da Dio, dicendo di aver fatto un errore, e chiedendo se gli era possibile riavere la moglie. «Molto bene» rispose il Signore, «ma questo conta come tuo secondo desiderio», e così l'affare fu concluso.

Poiché l'uomo non voleva sciupare il suo terzo desiderio nel modo sciocco in cui aveva perduto i primi due, cominciò a chiedere ad amici e conoscenti di consigliarlo e aiutarlo a decidere cosa avrebbe dovuto chiedere adesso. Un amico gli consigliò di chiedere un sacco di soldi, ma altri si chiedevano a che cosa gli sarebbe servito se non avesse avuto la salute. Un altro conoscente gli suggerì di chiedere una vita lunga, ma anche questo consiglio non suscitò l'approvazione di alcuni perché a che serve una buona salute se sei un poveraccio? Un terzo amico esaminò l'argomento della salute e dichiarò che era molto importante essere liberi dalla malattia. Quando i presenti sentirono questo punto di vista, lo misero in guardia perché va bene avere la salute, ma a che serve se non si ha nessuno con cui condividerla?

Le settimane passavano, poi i mesi e infine gli anni, senza che l'uomo andasse a reclamare il suo diritto dal Signore. Dopo parecchio tempo, Dio non poté più sopportare l'incertezza e andò a chiedere all'uomo perché non avesse ancora fatto la terza richiesta. Questi ammise di non saper cosa richiedere, perché temeva di sciupare il suo terzo desiderio chiedendo qualcosa di banale. «Puoi consigliarmi cosa chiedere?» domandò.

Il Signore rise. «Finalmente hai detto qualcosa di sensato, chiedi di essere contento qualsiasi cosa tu ottenga.» Cerca di essere appagato semplicemente perché sei vivo.

Gli esseri umani sono creature suggestionabili. Se non proviamo gratitudine e continuiamo a ripeterci che non siamo capaci, questa immagine di noi stessi si svilupperà nella nostra mente. Se pensiamo a noi stessi come a dei fallimenti, in breve tempo porteremo a compimento tale predizione. Se crediamo che i nostri sforzi andranno probabilmente a finir male, questa nostra convinzione si trasformerà in una profezia che diventa realtà. Perciò durante la meditazione, cerca di sostituire le vibrazioni negative con quelle che ti incoraggiano e ti sollevano. In questo modo comincerai a credere di essere in gamba e che hai tutte le probabilità di avere successo. È importante sapere che, se credi di potere, potrai e se credi di non potere, probabilmente non potrai o non vorrai. In ambedue i casi avrai ragione.

A volte la gente dice di aver meditato o pregato per anni ma senza che ciò abbia prodotto grandi risultati nella propria vita. Ora si chiede perché sia andata così. Tale insidiosa questione viene sollevata anche nelle comunità religiose. È molto penoso vedere che colleghi o conoscenti (perché puoi vedere queste cose molto più chiaramente negli altri che in te stesso) sembrano aver passato tanto tempo a pregare senza che tali preghiere abbiano apportato alcun cambiamento nel loro stile di vita o nelle loro abitudini. Come può essere? Forse è perché esiste una frattura fra la loro vita spirituale e la loro solita vita. Sembra che le due esistano in mondi separati e che non si influenzino affatto. Secondo me questo è un tipo di vita da cui è bene tenersi lontani. Sono convinto che il peggior tipo di spiritualità ignaziana, o di qualsiasi altro tipo di spiritualità, sia quella che contempla soltanto un'attività del passato senza interessarsi al fatto che la riflessione possa avere qualche effetto o meno su ciò che accade nel presente. Chiedi che le tue preghiere abbiano un effetto reale nella tua vita.

Una preghiera che non abbia effetto sul cuore o sul comportamento di una persona e che non addolcisca il suo contegno verso gli altri dovrebbe essere guardata con sospetto. Fai questa domanda a chiunque nella vita religiosa, o nella vita familiare: Avete incontrato nella vostra comunità o famiglia allargata qualcuno che prega molto ma il cui comportamento non cambia mai di una virgola? Credo che la maggior parte delle risposte saranno affermative. Perciò prega affinché il fuoco che è dentro di te possa bruciare vivacemente e accendere una scintilla fra te e Dio, affinché tale scintilla possa donare alla tua vita l'appagamento che la maggior parte di noi cerca così ardentemente. Abbiamo bisogno della grazia per spostarci dal mondano al divino. Gran parte di noi vorrebbe la felicità adesso e la felicità nell'eternità, se fosse possibile sistemare le cose facilmente. L'appagamento costante è l'aspirazione della nostra epoca, ma è possibile ottenerlo? Alcuni dicono che la felicità può essere raggiunta nel modo più sano quando è mescolata alla vita normale. È un po' come il sole, che non dovrebbe mai essere guardato direttamente. Se cerchi di guardarlo a viso aperto, sparisce. Gran parte delle persone possono dirti quando sono infelici, irritabili o perfino depresse, ma prova a chiedere loro quando sono felici, e i più sagaci ti confideranno che si accorgono di essere stati felici quando l'evento è già finito e il momento è diventato un ricordo.

Recentemente è stato intrapreso un progetto di ricerca all'università di Harvard su ciò che rende la gente felice o infelice. È stato chiesto a più di cento professori universitari, prima e dopo aver ricevuto la nomina a lungo termine, se sentivano che questa maggiore sicurezza nel lavoro desse loro la felicità e l'appagamento che desideravano. Tutti i professori si aspettavano di essere molto soddisfatti se avessero ottenuto la nomina e piuttosto infelici in caso contrario. In ambedue i casi si sono sbagliati. Coloro che ebbero successo furono felici per un po', ma non così felici come si erano aspettati, mentre coloro che non ottennero la nomina non si sentirono così infelici come avevano immaginato e temuto. Succede lo stesso per le aspettative che la gente ha. Quando raggiungiamo il nostro scopo, possiamo provare euforia o tristezza per qualche tempo, ma poi torniamo presto al nostro solito stato o livello di contentezza. Gli scontenti restano come erano prima. Gli allegri continuano ad avere una natura solare.

Se ti chiedi se questi risultati siano accurati, citerò uno studio simile condotto su persone che avevano l'infezione HIV. Coloro che hanno portato avanti gli esperimenti si aspettavano che chi scopriva di essere portatore del virus sarebbe rimasto distrutto non appena avesse appreso la cattiva notizia. Straordinariamente, la maggior parte non lo fu, mentre la cosa che li aveva sconvolti di più era stata l'incertezza. Coloro che scoprirono di stare bene ne furono felici. Altri che scoprirono di aver contratto il virus furono in grado di affrontare la situazione. Coloro che sono stati peggio di tutti furono quelli che decisero di non fare per niente l'esame, perché avevano paura del risultato.

Mentre cercavo ancora il segreto di ciò che potrebbe rendere la gente felice e soddisfatta, ho controllato i risultati di studi fatti sui vincitori di grosse lotterie. Qui ero sicuro che i vincitori delle lotterie sarebbero andati in estasi nel sentire quanto erano stati fortunati, ma i risultati hanno mostrato che non era proprio così. Dopo la prima ebbrezza per la vincita, la maggior parte di essi ritornò del solito umore. I rapporti indicarono che, se erano dei tipi ombrosi prima, è così che restarono. Se erano calmi e interessanti prima della vincita, tornarono alla loro tranquillità dopo che tutta l'eccitazione del successo si fu smorzata. È improbabile che un cambiamento nelle circostanze esterne ci cambi nel profondo. Ci sarebbe da aspettarsi che, man mano che la nostra cultura diventa più ricca e materialista, la popolazione si senta più appagata. Ma è così? Lo psicologo britannico Oliver James spiega che un numero sempre maggiore di noi è più depresso oggi di quanto non lo fosse cinquant'anni fa, nonostante che oggi si viva molto meglio. Egli cita alcuni studi condotti su dei venticinquenni in otto diverse nazioni. Ne è risultato che gli intervistati avevano una propensione tre volte maggiore alla depressione adesso che non anni fa, quando il benessere era minore.

William Blake (1757-1827) ha detto che non puoi

sapere ciò che è abbastanza, a meno che tu non sappia cos'è più che abbastanza. Ma sappiamo noi cos'è più che abbastanza? Il Vecchio Testamento dice che Dio ha messo nei nostri cuori una gioia più grande di quella di coloro che hanno abbondanza di grano e di vino nuovo, ma siamo stati in grado di apprezzare tale gioia? Cosa pensiamo che possa renderci felici? Se fai questa domanda a degli studenti, essi citeranno feste, viaggi, abiti nuovi e romanzetti d'amore. Queste sono tutte cose che appartengono al futuro e che sono al di fuori di noi. Anthony De Mello ci ha suggerito di guardare in un'altra direzione. Egli crede che la felicità sia un sottoprodotto. Se la cerchi troppo intensamente, ti scivola via. Si ferma ai margini della giornata e sulle linee laterali. È l'ombra proiettata da qualcos'altro. Egli dice che, in realtà, la felicità non è una cosa: è un modo di guardare le cose. Gran parte delle ricerche sulla felicità e sull'appagamento dimostra che la gente è più felice quando non ha a disposizione troppo tempo da passare in ozio, quando lavora, ha uno scopo nella vita e degli obiettivi ben chiari. Se ci concentriamo troppo sulla nostra felicità e ne facciamo il nostro unico scopo nella vita, è possibile che invece l'allontaniamo.

Questa realtà fu scoperta da un tranquillo monaco di cui si parla a Lourdes. Questo sant'uomo pregava costantemente di essere come Bernadette e che gli fosse concesso di avere una visione della Vergine. Era sicuro che, se avesse avuto tale visione, sarebbe morto felice. Un giorno, mentre era sprofondato nella contemplazione, finalmente gli apparve Nostra Signora. Sfortunatamente, non appena essa apparve, successe una cosa strana. La campana del monastero cominciò a suonare segnalando che era l'ora in cui i poveri della zona venivano nutriti al cancello del monastero. Il monaco sapeva che quel giorno era il suo turno di servire il cibo. Egli si sentì tormentato fra il desiderio di restare con la bella visione di Nostra Signora così tanto desiderata, e che finalmente si era materializzata, e il dovere di andare al cancello per prendersi cura di coloro che avevano bisogno di essere nutriti. Con grande riluttanza il monaco scelse infine la seconda opzione. Lasciò la sua cella e si recò al cancello dell'abbazia per compiere il suo lavoro. Molte ore dopo riuscì a tornare nella sua cella. Fu felice nel vedere che la visione di Nostra Signora era ancora là. E fu ancora più felice quando udì le sue parole: «Se tu fossi rimasto, avrei dovuto andarmene». Può darsi che siamo seduti sul nostro tesoro. Può darsi che ci stia guardando in faccia.

Esercizio Uno

Accettazione di sé

Anthony De Mello ha parlato sovente della preghiera. Durante i suoi seminari, gli veniva spesso chiesto di indicare quale fosse il tempo migliore per impegnarsi in questa pratica. Dalla sua esperienza era arrivato alla conclusione che non è possibile rispondere a questa domanda. Che il tempo "giusto" per la preghiera non arriva mai. Tende ad allontanarsi sempre di più se lo aspettiamo. Perciò prova questa meditazione, quando ne hai l'opportunità.

Prenditi alcuni minuti all'inizio della preghiera per sistemarti. Immaginati in una situazione di ogni giorno. Visualizza qualcuno che conosci mentre ti guarda con grande amore e ammirazione. Ora lasciagli dire qualcosa che gli piace particolarmente di te. Vedi se riesci ad accettare ciò che dice. Immagina ora di vedere altre persone farsi avanti e dire la stessa cosa. Sei una persona meravigliosa. Fai così tanto per gli altri. Vedi adesso te stesso in una parata con tutti che ti applaudono. Alzati in piedi e fai un inchino per ringraziarli per il loro apprezzamento. Ricorda dei momenti in cui Gesù ha incontrato delle persone nelle scene del Vangelo. Ripensa a come Egli le ha lasciate con i sentimenti che tu stai provando ora.

Esercizio Due

La luce interiore

Inizia pensando alle grazie che ricerchi con questa meditazione. La grazia può essere diversa ogni settimana e per ciascun passaggio. Leggi quindi il brano tratto dalle Scritture che presenta l'argomento della meditazione giornaliera. Dopo averlo letto, fai una breve pausa per ripassarlo nella tua mente. Fa' in modo che ti entri profondamente nel cuore.

Poniti alla presenza di Dio. Usa uno dei soliti esercizi di preparazione. Dio ha soffiato il respiro apportatore di vita nei nostri antenati. Se fa sentire la Sua presenza per mezzo di una profonda tranquillità interiore, assaporala. Non affrettarti a proseguire. Resta in silenzio con il Signore. Percepire la Sua presenza è un dono. Il tuo compito ora è rimanere disponibile. Parla a Dio con il cuore e lascia che lo Spirito ti guidi. Ricorda le parole di Dio: «Resta in silenzio e sappi che io sono Dio». È un modo gentile di dire: «Mettiti seduto, stai zitto e ascolta». Perciò resta fermo e calmo. La calma è la chiave.

Dimentica le istruzioni dettagliate su dove devi sedere, come ti devi sistemare e quando devi concentrarti sul ritmo del respiro. Troppe istruzioni potrebbero indurti a credere che esista un solo modo di fare la tua preghiera nel modo giusto. Sono solo suggerimenti che potrebbero aiutarti. Nel caso presente, ti chiedo solo di sedere in silenzio ed essere conscio dell'esistenza di un potere universale che cerca di esprimersi attraverso te. Non scoraggiarti se le cose si verificano con lentezza. La preghiera è l'ultima cosa per cui dovremmo sentirci scoraggiati. Dio cerca sempre di raggiungerci. I poeti e i mistici cercano sempre di dirci questo ed essi, forse, hanno disegnato i contorni più precisi del luogo in cui si trovano i panorami del misticismo e dell'eterno.

Immagina ora una luce che brilla radiosa e calda all'interno del tuo cuore. Sentila mentre brilla e si diffonde, irradiando luce direttamente da te. Sii come un sole d'oro che spande calore verso coloro che ti sono vicini. Di' a te stesso, silenziosamente e con convinzione, che la luce divina e il divino amore fluiscono da te e toccano tutto ciò che ti circonda. Ripetilo finché credi veramente che la potenza di Dio stia operando adesso attraverso te.

Esercizio Tre

Vangelo di san Luca
(Lc 21, 1-4)

L'offerta della vedova

> Alzati gli occhi, vide alcuni ricchi che gettavano le loro offerte nel tesoro. Vide anche una vedova povera che vi gettava due spiccioli e disse: «In verità vi dico: questa vedova, povera, ha messo più di tutti. Tutti costoro, infatti, han deposto come offerta del loro superfluo, questa invece nella sua miseria ha dato tutto quanto aveva per vivere».

Per prima cosa leggi la storia del Vangelo e prepara la scena. Immagina Gesù nel tempio in un giorno qualsiasi. Cerca di immaginare l'ambiente, come pensi che fosse. Quanto grande vedi il tempio nella tua mente? Quanta gente c'è tutt'intorno? Che aspetto hanno? Sposta adesso la tua attenzione su Gesù. È da solo o in compagnia di alcuni amici? Cosa c'è nella povera donna che attrae la Sua attenzione? Osservala mentre depone la sua offerta nella colletta. Ci sono altre persone che la guardano e commentano su quanto essa ha deposto? Vedi quanto Gesù resti commosso dalla sua azione. Per quanto piccolo possa sembrare il suo contributo, Gesù sa quanto le è costato. Immaginati ora di essere, per un momento, nei panni della vecchia donna. Ti sei sentito spinto a donare qualcosa di te? Quando? Dove? Da chi? Ora rifletti sui seguenti punti: Quanto ho sacrificato nella mia vita per il bene comune? Quando e in che modo l'ho fatto? Quanto mi è costato?

Termina con una preghiera in cui chiedi ti venga concesso di fare buon uso dei tuoi talenti.

Esercizio Quattro

Sulla spiaggia

Usa uno degli esercizi preparatori. Nella tua immaginazione, vedi te stesso su una spiaggia, da solo. Lascia che la tua mente pensi ai molti aspetti della tua vita che sono cresciuti in modo sproporzionato nell'ultimo anno. Cerca queste false cose enormi. Quando hai scoperto aspetti di te stesso per cui non vorresti consumare troppo tempo, sposta la tua attenzione verso aspetti della tua vita che stai forse trascurando. In che modo puoi trovare tempo per questi elementi?

Concediti tempo, spazio e solitudine.

Come seconda parte di questo esercizio di fantasia, e se non ti pare troppo sinistro, puoi immaginarti nella tomba. Osserva le decisioni che stai prendendo adesso da questo punto di vista. Ciò rimette tutte le cose in prospettiva!

Esercizio Cinque

Meditazione sulla parte peggiore od ostruttiva di te stesso

Chiudi gli occhi e focalizza l'attenzione sulla parte ostruttiva di te stesso.

Pensa alle qualità e alla personalità di questa parte di te stesso. Puoi immaginare con gli occhi della mente questo te stesso ostruttivo come una persona. Cerca di immaginarti mentre hai una conversazione con lei e scopri perché si comporta in quel modo. Immagina quindi di vedere questa parte ostruttiva di te stesso mentre ti lascia.

Comincia ora a costruire un'immagine di un "io distensivo". Definisci un'immagine delle sue qualità e della sua personalità.

Puoi anche qui immaginare questo "io distensivo" come una persona. Chiedile cosa vuole da te al fine di compiere il proprio lavoro efficacemente. Immagina infine di riunire l'"io distensivo" e l'"io ostruttivo".

Vedi se riesci a trovare una strategia che permetta al tuo "io distensivo" di fare il proprio lavoro con efficacia.

Finisci in tutta tranquillità diventando di nuovo conscio del ritmo del tuo respiro e concludi così la meditazione.

11
SPERDUTI NEL DESERTO

> Se non ci aspettiamo l'inaspettato, non lo troveremo mai.
>
> *Eraclito*

Molte persone si recavano all'abbazia cistercense del Getsemani di padre Thomas Merton. L'abbazia si trova nello stato americano del Kentucky e i pellegrini che arrivavano fin lì erano spesso in cerca di consolazione per la propria anima. Come il resto di noi, avevano lottato per guadagnare la felicità, il successo e l'appagamento per tutta la vita, ma non avevano trovato nulla di tutto ciò. In genere, giungevano all'abbazia perché la loro vita era in crisi. Cercavano sollievo alla depressione perché sapevano di trovarsi a vivere un brutto momento. Può essere difficile parlare di una situazione del genere. Un pellegrino che arrivò alla porta di Thomas Merton può farci capire meglio di cosa si tratta. Quest'uomo era nel mezzo del suo terzo matrimonio e anche quello si stava rapidamente dirigendo verso la conclusione. Gli riusciva difficile affrontare la prospettiva della solitudine che gli si parava davanti. Quando cominciarono a parlare, Thomas Merton gli disse: «La solitudine non è certo qualcosa al di fuori di te. Non è in realtà una specie di vuoto che si apre al centro della tua anima? L'unico modo in cui una persona cade in questa specie di abisso è per mezzo della fame, della sete, del dolore e della solitudine. Qualsiasi uomo che prova una tale solitudine negativa è realmente vuoto. Si è spinto al di là di tutti gli orizzonti. Non la trovi viaggiando, ma rimanendo fermo».

Nel capitolo precedente, abbiamo parlato delle speranze e dei sogni che abbiamo nella vita. Ci siamo chiesti come una persona possa cercare di far diventare realtà questi desideri. Si suggeriva che, se si mirava alla luna, avremmo potuto incontrare l'insuccesso ma, pur non riuscendo a raggiungere il nostro obiettivo, avremmo potuto per lo meno atterrare su una stella. Ma che succede se i sogni vengono completamente distrutti? Cosa succede se il nostro spirito viene gettato in un deserto arido, da noi stessi o dalle circostanze della vita? Diamo uno sguardo a come può essere l'esperienza di deserto spirituale.

Talvolta ci vengono imposte nella vita delle situazioni dolorose. Sono particolarmente atroci quando sembrano non avere né significato né scopo. Victor Frankl era famoso per aver condotto degli studi sugli effetti della speranza e della disperazione nella gente. Si domandava perché alcuni individui hanno un'infinita capacità di andare avanti nelle situazioni più terribili, mentre altri vanno in pezzi sotto la più piccola pressione. Egli eseguì le sue ricerche fra i prigionieri nei campi della seconda guerra mondiale e la sua ricerca ha mostrato che la sofferenza cessa di essere insopportabile nel momento in cui se ne trova il significato. I prigionieri erano in grado di sopportare praticamente qualsiasi dolore se avevano qualcuno o qualcosa in cui credere. La loro sofferenza aveva un centro d'interesse o uno scopo e questo, in definitiva, può far luce sul significato della loro vita.

Questa intuizione di essere soli e di lottare per il significato della vita e della morte è una delle sensazioni più spaventose che una persona possa sopportare. Secondo alcuni membri del personale di ospedali per malati terminali, si tratta di un argomento che i pazienti si trovano spesso a dover affrontare. Un membro del movimento ospedaliero – un dottore che stimo molto – sostiene che le persone che lavorano in tali posti devono avere un grande equilibrio e hanno bisogno di scavare a fondo dentro se stesse prima di essere in grado di relazionarsi con i malati terminali. L'interazione paziente-medico in questi istituti mette alla prova qualsiasi dottore o consulente fino allo stremo. I medici devono sapere che alcuni tipi di dolore non sono causati da alcuna malattia del corpo. Qualcosa d'altro affligge il paziente. Quando si ammettono dei malati gravi – afferma il mio amico dottore – sei obbligato a fare delle domande che possono sembrare un po' dure. Il medico si trova a chiedere cose del tipo: «Hai passato attraverso molte difficoltà e molto dolore. Questo non è il tuo primo ospedale, perciò cosa ti hanno detto nelle visite precedenti sulla natura della tua malattia?».

Le risposte sono sorprendenti perché la conoscenza del paziente – o la non conoscenza – è tale da farti rizzare i capelli. «In realtà, dottore, non so niente perché non mi hanno detto niente.»

«È spesso questo ciò che sentiamo dalla gente che incontriamo, benché pensi sia giusto far notare che, in alcuni casi, se a queste persone fosse detta la verità direttamente, ne sarebbero spaventate a morte. A prima vista, sembra che vogliano poche informazioni. Dopo un breve lasso di tempo, tuttavia, possiamo far loro sapere di essere a conoscenza di ciò che hanno passato, ed è possibile quindi chiedere cosa pensano essi stessi delle loro condizioni. Spesso arrivano a conclusioni proprie e hanno un'idea abbastanza perspicace della loro malattia. Il dottore ha solo bisogno di sapere se sono il tipo di persone a cui piace conoscere i fatti oppure preferiscono non sapere tutta la verità. Preferirebbero forse che i dottori iniziassero l'eventuale terapia senza entrare troppo nei dettagli? È questa una domanda che funziona bene con loro. Ad alcune persone non piace essere messe di fronte a realtà spiacevoli. Non vogliono che si dica loro la verità.»

È molto delicato capire se una persona vuole affrontare tutta la verità circa se stessa o la sua situazione. Ricordo che padre John English, un gesuita canadese, raccontava di aver posto domande molto dure ai partecipanti a un ritiro da lui condotto. «Non sono stati molti quelli che si sono precipitati a partecipare a un altro ritiro» ha detto, «perché domande troppo dirette spaventano la gente e la fanno fuggire.» Allora, a te piacciono le domande difficili? Le esperienze della tua vita ti hanno mai posto in una situazione di deserto? Se così è stato, può darsi che tu senta delle frasi, dette da Gesù ai suoi ascoltatori, risuonare dentro di te durante la meditazione. Quando emergono tali argomenti o domande, potresti udire Gesù sussurrarti all'orecchio: «Anche tu vuoi andartene?». Hai intenzione di restare abbastanza per capire il valore o il significato che queste domande potrebbero avere per te?

Thomas Merton poneva numerose domande difficili a molti di coloro che andavano a visitarlo. Egli asseriva che tanti fra noi sono incapaci di attraversare l'abisso che separa una persona da se stessa. Il superamento dell'abisso, diceva, è il più importante fra tutti i viaggi di scoperta. Senza questo viaggio, tutti gli altri non solo sono inutili, ma addirittura distruttivi. In modo analogo, anche Anthony De Mello raccomandava l'esame di se stessi. L'autoilluminazione, dichiarava, può essere raggiunta attraverso la riflessione, la calma e il silenzio. Per comprendere le intuizioni che la calma offre, è necessario entrare il più profondamente possibile nel silenzio. Ciò non è facile. Non aspettarti niente di sensazionale come colpi di genio o intuizioni straordinarie nella rivelazione che porta il silenzio. Limitati a osservare qualsiasi cosa affiori nella tua consapevolezza, indipendentemente da quanto scontata o normale possa sembrare. Quando il tuo silenzio diventerà più profondo, sperimenterai un cambiamento. A volte tale cambiamento può essere doloroso. Possono venire alla luce verità profonde. Freud ha scritto una volta: «L'essenza dell'analisi è la sorpresa», e di tanto in tanto lo spazio fornito dal silenzio o da un ritiro permette l'autoanalisi e una comprensione che è tanto sorprendente quanto difficile da sopportare.

Ma la vita stessa tende a produrre momenti di scoperta che sono ugualmente dolorosi e difficilmente evitabili.

Sant'Ignazio di Loyola, nella prima settimana dei suoi *Esercizi spirituali*, sottolinea questo punto attirandoci in una specie di incubo. Ci costringe ad ammettere che il lato scuro o in ombra del nostro essere è una realtà. Coesiste con il lato luminoso. Se rinneghiamo queste tendenze più oscure dentro di noi, finiamo per spingerle sottoterra. Esse potranno riemergere in seguito in forma più dannosa, proprio come il diavolo nel Nuovo Testamento che, scacciato, ritornò più tardi con una miriade di compagni. Il nostro lato peccaminoso potrebbe proliferare e il risultato finale di questo stato di peccato, citando Clemente d'Alessandria, è paragonabile alla caduta in un fosso mentre si sta camminando. Le possibili cause della caduta sono tre: non si sapeva che là c'era un fosso; non si è potuto o non si è voluto superarlo con un salto.

Spesso il difetto principale del male non è il peccato in sé, ma il rifiuto di ammettere che nel nostro cuore albergano sia il bene sia il male e che la luce e l'oscurità sono sempre in lotta. A volte, la nostra anima è ferita. È stato causato un danno alla profonda parte emotiva del nostro essere. Ci vuole molto tempo perché le ferite si rimarginino. Il lento processo di guarigione può iniziare con il pentimento per gli errori passati e con il diventare consapevoli degli errori commessi nella propria vita. È d'aiuto anche la volontà di cercare di liberarsi dalla ripetizione infinita degli errori passati. In passato le anime ferite trovavano un luogo di soccorso all'interno della Chiesa, ma ci si chiede se ciò accada così prontamente anche oggi. Sembra che alcuni non ricevano il nutrimento che trovavano una volta nella pratica religiosa. Si guardano intorno nei luoghi più improbabili per trovare sostegno spirituale.

Quale può essere la causa di queste esperienze di deserto? Nel corso di una vita normale, la maggior parte delle persone deve affrontare esperienze difficili che spesso capitano inaspettatamente. Morte, insuccesso, divorzio, malattia e peccato possono far scattare quelli che descrivo come momenti di deserto o momenti di desolazione. È probabile che io non abbia dato fondo alla lista. Nei suoi scritti, Oscar Wilde sostiene che viene un momento nella vita di ciascuno in cui si deve camminare da soli – almeno una volta – con Cristo fino al Calvario. È probabile che gran parte di noi debba in futuro affrontare esperienze di deserto in un momento qualsiasi della propria vita. Ci saranno situazioni in cui saremo spezzati, senza forza, frustrati e scoraggiati. Wilde dice che questi momenti sono come una galleria attraverso cui l'anima deve viaggiare. Fanno parte del viaggio della vita, ma non sono la destinazione finale. Coloro che hanno sperimentato lotte di deserto o di desolazione dicono che, se viaggi lungo questa strada – o se hai il sospetto di doverlo fare – accetta il consiglio di non perdere la calma. Le esperienze fanno paura e hanno bisogno di essere affrontate di petto. L'esempio di Gesù ci si erge davanti. Mettiti a confronto con i tuoi demoni, o essi prenderanno il sopravvento.

Può essere incoraggiante osservare che molti cristiani credono sia più facile trovare Dio nel deserto e nel corso di esperienze impegnative, piuttosto che nella normale, monotona esistenza giornaliera. Dio viene ricercato più disperatamente – e la Sua presenza viene trovata più facilmente – nei momenti oscuri piuttosto che in quelli luminosi. Le zone che sembrano sterili possono infatti essere piene di Dio. Pensa alla vita di Charles de Foucauld, l'eremita del Sahara, che trovò la vita del deserto profondamente dolce. Egli sapeva che la nudità del deserto era piacevole e salubre perché lo metteva faccia a faccia con le cose eterne. Nello stesso modo, fratello Roger di Taizé ama raccontare ai suoi ascoltatori che fede significa attraversare difficoltà e dubbi. Dice che è più facile avvicinarsi a Dio quando tutto ciò che è superfluo e non necessario viene eliminato, lasciando solo l'essenziale. Nel deserto ci sono poche distrazioni esterne e il contrasto fra l'oscurità e la luce comincia a manifestarsi più chiaramente. Come in un quadro di Rembrandt, gli oggetti inondati di luce assumono una bellezza particolare, perché contrastano così meravigliosamente con l'oscurità che li circonda.

Parte del mistero della nostra vita risiede nel fatto che ciascuno di noi è unico. Ciò può condurci in una di queste due direzioni. Ci può far muovere verso una solitudine mortale e un isolamento che ci taglia fuori dagli altri, oppure ci può indirizzare verso una solitudine che è fruttuosa, riflessiva e che arricchisce lo spirito. Sembra quindi che esistano due esperienze di deserto: una arida e distruttiva per l'anima, l'altra fertile e ricca di frutti. Thomas Merton, in alcuni suoi scritti, asserisce che esiste un'esperienza, chiamata da alcuni di "deserto", in realtà non è affatto sterile. Una persona può viaggiare in questo tipo di posto o in questa nuvola non perché vuole fuggire dagli altri uomini o dalle altre donne, ma perché desidera trovare profondità, verità, e l'essenza di sé attraverso Dio e in Lui. Questo secondo tipo di deserto può darsi sia nebuloso, ma non è opprimente. Si può forse paragonare alla nuvola che incontrarono gli apostoli che viaggiavano con Cristo sul monte Tabor. La nuvola è importante nella tradizione mistica. San Giovanni della Croce afferma che entrare profondamente nella preghiera contemplativa è come entrare in una nuvola. Ci si allontana dal ragionamento e dal pensiero cerebrale, perché la nuvola o il deserto hanno la capacità di eliminare ciò che è privo di importanza. Ci aiuta a muoverci verso uno stato di calma e rende più acuta la nostra capacità di ascolto e il nostro potere di osservazione, portando anche chiarezza in ciò che sta succedendo dentro di noi. Quando incontriamo Dio in questa forma di silenzio o di deserto, il risultato è una forma di adorazione. Le parole non sono necessarie. Siamo in presenza del mistero.

Carlo Coretto descrive questo tipo di solitudine nelle sue lettere dal deserto. Egli dice che, mentre di notte giaceva sveglio nel silenzio, cercando di dare un senso a ciò che succedeva intorno a lui, ha cominciato a rendersi conto che la saggezza non viene a buon mercato e che le cose di Dio non vanno prese alla leggera. La solitudine di cui si parla non è la solitudine dell'isolamento. È un silenzio che non ti rende tanto acutamente conscio della tua solitudine, ma che ti porta vicino ai tuoi più profondi desideri. La felicità che bramiamo non può essere trovata in altre persone o in altri luoghi, ma ci viene donata da Dio quando diamo a noi stessi il permesso di riceverla. Se siamo preparati ad abitare in questo tipo di deserto, troveremo nel suo cuore non solitudine o vuoto, ma piuttosto intimità e riparo. Nonostante la sua apparenza paurosa, è invece pieno di tenerezza e desiderio.

Scrittori moderni hanno attestato ciò che questo tipo di esperienza di deserto può fare per te. Terry Waite, l'uomo di Chiesa, inglese, che fu fatto prigioniero a Beirut, sostiene di essere stato grandemente consolato dal concetto di deserto fruttuoso che aveva trovato nei libri di Carlo Coretto. Sheila Cassidy, anch'essa rapita – ma, nel suo caso, in Sud America – asserisce che un'esperienza di deserto, benché terribilmente dolorosa, è anche il posto che ci può far raggiungere il punto più profondo di noi stessi. Una persona di deserto deve acquistare padronanza sul suo essere apparentemente da sola, mentre comincia a capire un po' di più cosa sia il dolore e come affrontarlo in modo proficuo. Gesù non è venuto per spiegare il dolore, per allontanarlo o per eliminarlo dalla nostra vita. Al contrario, Egli lo rende sopportabile riempiendolo della sua presenza. Lo stesso Anthony De Mello era solito dire che, se davvero vogliamo pregare, soffriremo. La sofferenza personale dà, a volte, a chi la prova un senso di solidarietà verso coloro che vengono messi alla prova; tali prove non sono necessariamente dannose. Invece di essere fredde e ostili, possono a volte rivelare un luogo di preghiera e di unione con Dio. Alcuni scrittori spirituali hanno osservato che i seguaci più vicini a Cristo erano dei pescatori e hanno parlato del tipo di preghiera di deserto in termini di pescatori. Come ho già detto, l'attività della pesca – mentre appare essere di tutto riposo – è invece un'operazione di grande concentrazione. Mentre ne sei coinvolto, sia che tu stia mettendo un'esca o gettando una mosca, hai bisogno di stare costantemente all'erta. Non stai semplicemente seduto a perdere tempo. È se mai vero il contrario. Tutti i tuoi sensi sono perfettamente sintonizzati. Devi osservare attentamente cosa sta succedendo. Colpisci il tuo bersaglio non appena vedi un movimento nell'acqua. Non puoi permetterti di sonnecchiare, ma devi reagire in una frazione di secondo. È la stessa cosa succede nelle esperienze di preghiera di deserto. Cominci a renderti conto che ciò che desideri non sono tanto le parole quanto i silenzi. Non sei tu che ti rivolgi a Dio, ma piuttosto è Dio che si rivolge a te. I buddisti hanno una parola *zazen*, che significa "semplicemente stare seduto", senza pensare assolutamente a niente. È una pratica essenziale del buddismo e i buddisti cercano di allontanare tutte le distrazioni, eliminare ogni immagine o simbolo, pensiero o idea, che potrebbe distrarli durante la preghiera. Hanno così uno dei migliori tipi di "incontri" di deserto. Sono fortunati.

Per chi non è altrettanto fortunato – per chi sta vivendo un tipo di esperienza di deserto sterile – che speranza c'è? Ebbene, indipendentemente da quanto possa durare l'esperienza di deserto – e la strada può essere lunga e difficile – alla fine giunge al termine.

Ciò non avviene mai senza un lavoro attivo da parte della persona interessata. Non dobbiamo aspettarci che la nuvola si innalzi da sola. Possono essere necessarie la grazia di Dio e l'azione di attizzare un po' le fiamme da parte nostra. Può darsi che si debba implorare e chiedere. Per uscire dal peggior tipo di deserto, inizia mettendoti in ginocchio.

Esercizio Uno

Una preghiera per i momenti di stress

Quando sei pronto a cominciare, trova un posto in cui poterti sedere tranquillamente; tieni le mani leggermente appoggiate in grembo. Poi, con gli occhi chiusi, comincia a concentrarti sulla respirazione, inspirando piano e normalmente. Fai attenzione al ritmo del respiro. Mantienilo costante e percepiscilo mentre entra nelle tue narici e immaginalo mentre si muove lentamente nella parte posteriore della tua gola, andando poi in basso verso il torace, girando intorno alla spina dorsale, arrivando quindi giù fino a un punto nella zona dell'ombelico. Non inalare grandi quantità di aria, e non forzare il ritmo della respirazione. Respira semplicemente, in modo normale. Durante l'espirazione, concentrati sull'aria mentre si fa strada fuori dai polmoni, uscendo delicatamente dalle narici. Mentre la tua respirazione si rilassa, mantieni il ritmo costante. Continua a mantenere qualsiasi ritmo ti faccia sentire a tuo agio. Continua questo esercizio respiratorio per alcuni minuti e resta concentrato su un ritmo di respiro facile e naturale. Man mano che fai ciò, ti dovresti sentir cadere in uno stato di rilassamento e così la tua mente diventa più calma. Quando questo esercizio diventa più facile, con la pratica, ti accorgerai di perdere la cognizione del tempo e di entrare in uno stato di "essere soltanto". Molte persone dicono di sentire un senso di energia e vitalità con il semplice uso di questa pratica. Altri dicono che dà loro la sensazione di essere tutt'uno con Dio.

Ritorna con la memoria agli ultimi mesi passati e pensa ai momenti "di deserto" che hai sperimentato, o alle volte in cui ti sei sentito alla deriva. Che cosa ha causato quel momento di deserto per te? C'è uno schema in ciò che di solito produce dei momenti di deserto nella tua vita? Qual è stato il tuo più profondo dolore in quel tempo di crisi e di stress? Eri consapevole, allora, della presenza di Dio nella tua vita? Cosa temevi che Dio potesse fare? Cosa implori Dio di non fare o di non chiederti? Qual è il peggior risultato possibile che una tale crisi potrebbe importi? Ti senti in grado, con la grazia di Dio, di far fronte a una simile eventualità?

In questo esercizio puoi pregare sia al presente sia al passato, riflettendo su un momento "di deserto" che si sta verificando adesso, o che si è verificato in passato.

Spesso ti senti confortato e rinforzato nel pensare che, se succedesse il peggio, saresti comunque in grado di affrontarlo.

Esercizio Due

Meditazione alla fine della giornata

Pochi di noi sono capaci di arrivare alla fine della giornata senza lasciare qualcosa di incompiuto. Non portiamo a termine tutte le conversazioni, non diamo piena attenzione ed espressione a ogni emozione, non controlliamo ogni articolo della nostra lista, e non apprezziamo adeguatamente tutte le persone che ci sono vicine. Rimane in genere del lavoro incompiuto. Concedendoti del tempo, coscientemente e intenzionalmente, alla fine di ogni giornata, contribuisci a rendere il tuo sonno scevro da inutili preoccupazioni e rimpianti. Impiega un minuto per raccoglierti, e ritorna quindi con il pensiero, in atteggiamento di preghiera, alla giornata trascorsa. Fai una revisione della giornata, sia dall'inizio alla fine, sia ritornando indietro dal momento presente fino a quando ti sei svegliato la mattina. Tocca tutte le aree di interesse, come le cose che ti hanno preoccupato, o un affare che appariva non completato. Ripensa anche alle persone che hai incontrato. C'è un incontro che ti ha lasciato l'amaro in bocca? Se così è, chiedi perdono per qualsivoglia parte tu abbia avuto in tale difficile situazione. Rendi grazie per i favori ricevuti durante il giorno e, quando sei pronto, concludi la meditazione.

Come prolungamento di questo esercizio di preghiera, prova quanto segue: lascia che la tua mente ritorni all'anno trascorso. Pensa ai molti aspetti della tua esistenza che sono sfuggiti al tuo controllo e che sono diventati più grandi di quanto tu non avresti voluto. Che cosa, nello scorso anno, è per te cresciuto sproporzionatamente? Cerca di ricordare queste grosse falsità. Se scopri degli aspetti di te stesso che vorresti meno dispersivi, cerca anche di vedere se ci sono degli aspetti della vita che stai trascurando. Come pensi di trovare il tempo, in futuro, per queste cose essenziali?

In questa meditazione possiamo includere una terza pratica. Siccome presenta una minaccia e una sfida, intraprendila con precauzione. Cerca di immaginarti alla fine della tua vita. Può sembrare ancora una cosa lontana, ma arriva più presto di quanto molti di noi non immaginino. Se hai degli amici o parenti anziani, ti diranno quanto questo sia vero. Guarda alle decisioni che stai prendendo in questo momento come se tu fossi sul letto di morte. Come ti sembreranno le decisioni che hai preso, guardandole dal letto di morte? Partendo dal punto di vista della fine della vita, vedrai come questo rimetterà le decisioni presenti nella giusta prospettiva!

La pratica di rivedere la giornata trascorsa può migliorare le cose in modo emozionante. Molta gente lo fa, senza neanche pensare che sia una meditazione. Alcuni apprendono questa pratica a scuola. La fine degli studi, un nuovo lavoro, una nuova relazione, un nuovo bambino, o qualsiasi altro evento che si verifica nella vita, può far smettere questa pratica. Anni dopo, queste persone sentono che manca qualcosa nella loro esistenza. Se sono fortunate, si rendono conto che non stanno più concedendosi il tempo necessario per restare in silenzio, per rielaborare cosa è accaduto nel loro intimo.

Esercizio Tre

Vangelo di san Luca

(Lc 13, 6-9)

La parabola del fico sterile

Assumi la tua posizione per pregare e rilassa il corpo.

Leggi per prima cosa la storia del Vangelo.

> Disse anche questa parabola: «Un tale aveva un fico piantato nella vigna e venne a cercarvi frutti, ma non ne trovò. Allora disse al vignaiolo: Ecco, son tre anni che vengo a cercare frutti su questo fico, ma non ne trovo. Taglialo. Perché deve sfruttare il terreno? Ma quegli rispose: Padrone, lascialo ancora quest'anno, finché io gli zappi attorno e vi metta il concime e vedremo se porterà frutto per l'avvenire; se no, lo taglierai».

Diventa pian piano consapevole della tua respirazione. Percepisci l'aria mentre entra attraverso le narici. Man mano che respiri, senti l'aria che entra ed esce dal tuo corpo. Immagina il tuo respiro come una nebbia colorata che riempie la stanza in cui ti trovi. Immagina l'aria, o la nebbia, mentre si fa strada attraverso le narici. Osservala mentre passa dalla parte posteriore della gola, spostandosi in basso verso le spalle. Continua a visualizzarla come se tu avessi un corpo di vetro, e vedi la nebbia colorata spostarsi giù fino al torace, poi fino alle braccia, girare intorno alla spina dorsale, fino ad arrivare alla zona dell'ombelico. Dopo qualche momento, immagina di nuovo il tuo respiro mentre compie il viaggio di ritorno, partendo dal fondo dello stomaco e poi su, fino alla colonna vertebrale, al petto, su per le braccia, fino alla zona delle spalle, passando quindi dalla gola per uscire da qui attraverso la bocca. Concedi due o tre minuti a questo esercizio, osservando il ritmo tranquillo del tuo respiro. A questo punto dovresti cominciare a sentire il tuo corpo diventare più rilassato.

Cerca ora di pensare a te stesso, immaginandoti come un albero di fico. Sei rimasto piantato nel terreno già da un certo tempo. Pensa alle opportunità che ti sono state date. Sei cresciuto? Dove? Chi ti ha aiutato? Le tue radici hanno bisogno di essere nutrite nei prossimi mesi per mantenere la tua crescita spirituale? Come puoi ottenere questo nutrimento spirituale? Chiedi al Signore del Raccolto di prendersi cura del dipartimento nutrizione. Porta a termine la meditazione quando ti senti pronto.

12
IN LOTTA CON DIO

Non importa quanto lunga sia la notte, il giorno arriverà certamente.

Proverbio del Congo

Uno dei miei autori preferiti, la coraggiosa scrittrice irlandese Dervla Murphy, ha recentemente scritto di un evento nella sua vita che ha lasciato in lei un segno profondo. Stava viaggiando come fa di solito, a piedi e da sola, in una zona sperduta del Ruanda, in Africa, quando si rese conto di essere in preda alla paura. Nel descrivere le sue sensazioni, ha detto di essersi sentita profondamente turbata, senza però saperne la ragione. A volte, nella vita proviamo delle sensazioni di buio o di male vicino a noi, senza capire facilmente da dove provenga un tale sentimento. Quando Dervla tornò a casa e cominciò a cercare e a raccogliere notizie su quella zona per il suo ultimo libro, scoprì allora che l'area in cui aveva viaggiato era stata segnata da alcune delle peggiori atrocità del genocidio ruandese. Non c'è da meravigliarsi quindi se il luogo era permeato da vibrazioni negative. Scoprì così che non sempre è necessario essere al corrente di ciò che è successo in un luogo, o conoscere una certa situazione, per avvertire la presenza del male lì vicino. Puoi essere guidato da una sensazione interiore e percepire un'atmosfera e delle vibrazioni che sono vicine alla verità in modo allarmante. Fu solo dopo che si trasferì dal Ruanda alla vita più facile dell'Uganda, rendendosi conto di quanto si fosse sentita a disagio e nervosa in mezzo a una popolazione così disturbata. Il Ruanda era stato per lei un'esperienza agghiacciante non tanto per la solita burocrazia che una persona incontra in quei posti, ma perché i suoi viaggi l'avevano condotta faccia a faccia con bassezza e depravazione. Come la storia di Adamo ed Eva cerca di suggerirci, debolezza e peccato sono parte della natura umana. Corruzione e depravazione sono sempre una possibilità e non sono mai troppo lontane dalla superficie della condizione umana.

Un altro scrittore irlandese, Fergal Keane, ha viaggiato nella stessa zona dell'Africa e ha osservato che la recente guerra sembrava aver succhiato via da quella regione ogni bontà. Alcuni tipi di comportamento umano – asserisce – hanno come prezzo la propria anima. Forse alcune persone in Ruanda, egli suggerisce, hanno contaminato con le proprie azioni l'intero ambiente. Come disse Jung: «Sfortunatamente, non c'è dubbio che l'uomo sia meno buono di quanto voglia o immagini di essere».

Una delle grandi "malattie" dei nostri tempi è la sensazione, provata da molti, di aver perso contatto, in qualche modo, con la propria anima. Quando l'anima è trascurata, questo sentimento non sparisce in alcun modo. Una tale trascuratezza può condurre all'ossessione, alle dipendenze, alla violenza e a una completa mancanza di significato circa lo scopo della vita. Il nostro rapporto con Dio può dissolversi e può darsi che sia la nostra cultura a incoraggiarci a essere come un ragno, a filare la nostra vita esclusivamente con le nostre esperienze, non preoccupandoci mai di guardare al di fuori di noi per scoprirne un ulteriore significato. La radice del problema risiede forse nel fatto che abbiamo perduto la saggezza nei riguardi dell'anima, e forse anche il nostro interesse in essa. Ciò può condurre alla confusione interiore e al dolore.

Nell'esistenza umana il dolore è inevitabile. Indipendentemente da ciò che credi, semplicemente non puoi evitarlo. George Orwell arriva a dire che: «Gran parte della gente riesce ad avere una discreta quantità di divertimento nella propria vita ma, tutto considerato, la vita è principalmente fatta di dolore e di sofferenza. Solo i giovanissimi e gli sciocchi credono che sia altrimenti». Penso che questa asserzione sia piuttosto dura, ma gran parte di noi, una volta o l'altra, incontra davvero dei periodi di dolore che preferirebbe evitare. Quando questo dolore appare all'orizzonte, abbiamo la tendenza a scendere a patti con Dio, o per lo meno cerchiamo di farlo. Promettiamo di comportarci bene in futuro, se veniamo risparmiati dall'imminente catastrofe che sembra stia per sommergerci. Lo scrittore ebreo Franz Werfel, nel tentativo di sfuggire ai nazisti passando dalla Francia alla Spagna, durante la seconda guerra mondiale, cercò rifugio nella zona di Lourdes, prima di fuggire verso la libertà. Benché non fosse credente, disse ai suoi amici che, se fosse riuscito a passare il confine sano e salvo, avrebbe condotto delle ricerche e pubblicato l'intera storia delle apparizioni di Nostra Signora di Lourdes. Mentre si trovava da solo nel punto del fiume, a Lourdes, dove la Vergine era apparsa a Bernadette, cominciò a pregare dal profondo del cuore in questo modo: «Non sono credente e devo essere onesto su questo fatto. Ma nel momento di estremo bisogno, e perché forse potrei avere torto, chiedo soccorso». Non appena fu riuscito a formulare questa preghiera, racconta di essersi subito sentito colmo di pace e riuscì a compiere con successo la fuga verso la libertà.

Questo tipo di disperato compromesso non è insolito quando ci troviamo faccia a faccia con un disastro. Abraham Lincoln disse di essersi spesso messo in ginocchio per pregare perché, in ultima analisi, non c'è altro posto dove andare quando ci si trova in guai seri. Molti preti cattolici conoscono bene questa storia. Ascoltano penitenti in confessione che lottano con Dio e con la parte immorale di se stessi. Queste lotte sono talvolta commoventi e toccanti. Sono momenti di grazia e di guarigione. Altre volte sembra che la persona contrita non sia sicura se assumere una posizione di timore oppure di confronto. Il penitente può avere la sensazione che, come Abramo, Dio lo abbia chiamato verso l'ignoto. Tale viaggio comporta una lotta, un possibile conflitto con Dio, un conflitto all'interno di se stessi e con gli altri. Si può gridare con Geremia: «Mi hai sedotto, Signore, e ho permesso a me stesso di venire sedotto. Mi hai sopraffatto. Tu sei il più forte». In alternativa, si può adottare, nel proprio contegno, un tono più conciliatorio ed essere più passivi davanti a Dio.

Molti cristiani, nella storia, furono catturati in battaglia e venduti come schiavi. In seguito, tali cristiani ebbero figli i quali, essendo essi stessi schiavi, credettero che anche i loro figli fossero condannati alla schiavitù. In questo modo, nasceva una mentalità da schiavi.

Puoi farti un'idea di quanto accadde se hai l'opportunità di visitare un porto per schiavi. Io sono stato condotto a uno di questi recinti al Jesus Fort, nel porto di Mombasa, in Kenya, e ho potuto ancora quasi sentire l'odore della paura e dell'orrore che i prigionieri devono aver sentito. Il luogo era una fermata di rifornimento per le navi in viaggio per/e dall'India e gli schiavi venivano rinchiusi in recinti e legati a grossi anelli infissi nelle pareti sulle banchine. Il terrore e l'isolamento sentito da coloro che erano tenuti prigionieri devono essere stati intensi. Erano stati catturati vicino ai loro villaggi di origine ed erano stati costretti a marciare fino a questo luogo orribile e sinistro. La destinazione era loro sconosciuta. Tutto ciò che sapevano era che non avrebbero mai più rivisto la loro casa o le loro famiglie. La tentazione di lasciarsi andare alla disperazione deve essere stata grandissima. Sapendo ciò che sapevano, gli schiavi e coloro che sostenevano la loro causa fecero ciò che poterono per evitare che si sviluppasse una mentalità da schiavi. Erano decisi a scrollarsi di dosso questo terribile giogo per donare ai loro figli una qualche vestigia di libertà. In seguito, divenne comune fra i cristiani comprare la libertà per i bambini nati da genitori schiavi. In questo modo, anche se la legge diceva che erano nati senza usufruire della libertà, questa era stata comprata per loro. Le azioni di altri avevano rimosso il giogo della servitù dalle loro spalle.

Lo stesso può dirsi di noi. Cristo, per mezzo della sua crocifissione, ha eliminato i nostri errori. Egli non voleva che fossimo appesantiti da una mentalità da schiavi, benché questo modo di pensare non sia tuttora insolito fra di noi. Sapeva che la gente si sente schiavizzata per mezzo di ogni sorta di inibizioni. Alcuni nutrono preoccupazione circa il futuro. Altri si sentono soffocare dalle proprie ambizioni o dal timore di perdere la reputazione. Hanno bisogno che qualcuno ricordi loro che la reputazione è una merce passeggera. Può essere loro d'aiuto il ricordare la storia del maestro zen che viveva in un villaggio giapponese, il quale fu accusato di avere una relazione con una ragazza. Questa disse che il maestro zen era il padre del suo bambino. I genitori della giovane si indignarono e si recarono dal maestro dicendo che tutta la faccenda era vergognosa e che era dovere del maestro mantenere sia la madre sia il bambino.

«Molto bene, molto bene» fu la sola risposta del maestro. Dopo alcuni mesi la verità di quanto accaduto venne alla luce e fu trovato il vero padre. Si scoprì che si trattava di un giovane del villaggio che la ragazza aveva incontrato segretamente. I genitori della ragazza rimasero mortificati e si sentirono imbarazzati. Tuttavia, ebbero il coraggio di tornare dal maestro zen per offrire le loro scuse. Dissero che erano dispiaciuti per aver rovinato la sua reputazione. La sua unica risposta fu di nuovo: «Molto bene, molto bene».

Egli sapeva cosa era e cosa non era. Ciò che gli altri credevano non aveva per lui alcuna importanza.

Cristo è consapevole che esistono individui che si sentono imprigionati da un profondo senso di colpa. Una vecchia coppia sposata stava passando insieme gli ultimi momenti. La moglie era sul letto di morte ma, prima di andarsene, voleva mettere in chiaro alcune cose. Disse al marito che doveva rispettare la sua memoria e che, se avesse avuto l'audacia di risposarsi o di avere un'amante, essa sarebbe tornata per perseguitarlo. Dopo la sua morte, in effetti l'uomo si risposò e fu atterrito, ma non sorpreso, di vedere un fantasma aggirarsi per la casa, che lo accusava di infedeltà. Dopo qualche tempo, non potendo sopportare più, andò a consultare un saggio prete circa il comportamento da adottare. Il pio insegnante gli diede un grosso sacco di fagioli e gli disse di non aprirlo, ma di chiedere al fantasma quanti fagioli c'erano nel sacco. Il fantasma non lo seppe dire. Il guru disse: «Non è strano che il fantasma sappia solo ciò che tu sai?». Una coscienza colpevole può essere un padrone spietato.

Il nipote di Heinrick Van Vert, il primo ministro sudafricano che era stato uno degli istigatori della segregazione razziale in Sud Africa cinquant'anni fa, ha scritto di recente che una cattiva coscienza può veramente rovinare il nostro rapporto con Dio. Il nome del nipote è Vilheim Van Vert ed è ora un funzionario della Commissione per la verità che aiuta a rendere pubblici i segreti degli anni dell'apartheid in Sud Africa. In un'intervista del 1997, egli parlò in questi termini: «Molta gente non solo si sente colpevole per ciò che successe durante gli anni dell'apartheid, ma si sente anche piena di vergogna. Credo che la vergogna sia un sentimento ancora più profondo della colpevolezza. Il problema, secondo me, risiede nel trovare il modo di riconquistare la propria dignità e il rispetto di se stessi. Non permetterò alla storia passata di distruggermi: userò il ricordo per sfidare me stesso a rendere giusto ciò che era sbagliato. L'esperienza mi ha mostrato che per la riconciliazione ci vuole del tempo. Non ci si può aspettare che i popoli passino attraverso la loro storia, i loro stereotipi e la loro paura in breve tempo. Per me è stato infatti molto difficile e mi ci è voluto molto tempo per uscire dal sentimento distruttivo di colpevolezza di cui ho dovuto pagare il prezzo. Ho dovuto imparare a non aspettarmi soluzioni veloci. I problemi e la vergogna scavano nel profondo».

Ci vuole tempo per smettere di combattere con Dio o per non essere più soffocati da una mentalità da schiavi. Una volta fu chiesto a un saggio: «Qual è il modo per reagire al dolore e allo sconforto nella nostra vita?».

Rispose: «Ci sono coloro che affrontano il dispiacere e il dolore come un nemico. Prendendosela con il mondo, troveranno qualcuno da biasimare perché pensano solo in termini di errore e di colpevolezza. Ci sono poi quelli che si lamentano del proprio destino e che dicono: "Cosa ho mai fatto per meritarmi questo? Perché sono così sfortunato?". Ce ne sono altri che biasimano se stessi. Soccombendo alla colpa, essi credono che la loro indegnità meriti di essere punita con la sofferenza. Ci sono poi coloro che affrontano il dolore e la scontentezza non come un nemico ma come un maestro. Essi seguono il sentiero dei saggi e chiedono: "Cosa c'è alla radice di questo dolore? Qual è la strada per la guarigione e cosa devo imparare da questa circostanza?". Essi capiscono che nella vita di molta gente arriva un momento di perdita totale – forse si ammalano, perdono la reputazione, il denaro, gli amici – e capiscono anche che questo può essere un momento di opportunità e di crescita personale».

Anche noi, come Chiesa, dovremmo imparare ciò. Parecchie volte, nella nostra storia, è stato riferito che la Chiesa e la sua gente si sono trovate a mal partito. In ogni occasione, la Chiesa ha dovuto fare una seria ricerca a livello spirituale, e l'ha fatta. Speriamo di trovarci in un momento simile.

Esercizio Uno

Dolore nella tua vita

Per prima cosa vai nel tuo solito luogo di meditazione. Trova e adotta una posizione che ti sia di aiuto. Usa uno degli esercizi di respirazione per rilassarti. Pensa a una parte del tuo corpo in cui senti dolore. Dov'è il dolore? Che sensazione ti procura? Cerca quindi di restare per un po' con il dolore. Entra all'interno di esso. Diventane consapevole e cerca di scoprire dov'è il suo punto d'origine. Più opponi resistenza e più ti metti contro al dolore, e più questo diventa persistente. Se puoi, comincia a lasciarlo andare. Mentre lo lasci andare, il dolore tende a infastidirti sempre meno. Fai del dolore restante un'offerta, chiedendo che la tua sofferenza possa essere utile ad altri.

Termina con un Padre Nostro.

Esercizio Due

Pensare alla malattia

Anthony De Mello era solito parlare della malattia in molti dei suoi seminari. Asseriva che ci portiamo dietro la nostra malattia e che molti sono riluttanti a lasciarla andare. Arrivava a dire che molta gente non vuole stare bene, e io so che queste affermazioni sconvolgevano profondamente parecchie persone che seguivano le sue conferenze. Alle conferenze che io stesso conduco, l'argomento che stiamo trattando qui disturba la gente nello stesso modo. Cerca di rimanere aperto per vedere se ci potrebbe essere della verità in quanto segue. Se in questo momento non ti senti bene, è meglio rimandare a un altro giorno.

Per prima cosa sistemati nel tuo spazio di preghiera. Rilassati per mezzo di uno degli esercizi preparatori.

Quando sei pronto, pensa alle volte in cui sei stato male. Esattamente in che modo ero malato? Capita a volte che io stesso sia la causa della mia malattia? Se sì, in che modo? Sto male quando cerco di evitare certe cose? Di cosa si tratta? Di cosa ho più paura quando sono malato? C'è un vecchio proverbio irlandese che dice: «Certa gente gode a star male». Sono anch'io così? Se lo sono, che beneficio ne ho ricavato? Devo essere onesto adesso! Ma che prezzo ho dovuto pagare per questi benefici?

Esercizio Tre

Pensare all'ira

L'ira viene descritta come uno dei sette peccati capitali. La seguente meditazione ci aiuta a vedere che parte essa può avere nel formarci o nel distruggerci.

Comincia anche qui con uno dei soliti esercizi preparatori. Quando sei pronto, rammentati di quando eri bambino. Cosa facevi della tua rabbia, da piccolo? La esprimevi o la sopprimevi? Che sistema usavi per trattenerla? Come ti comporti con la tua rabbia adesso? Nel tuo modo di affrontarla, vedi similitudini con la tua famiglia? A quale tuo familiare pensi di assomigliare nell'esprimere la rabbia? Ti concedi il diritto di essere arrabbiato? Se la risposta è no, perché fai così e chi ha detto che non hai questo diritto? Cosa succede quando lasci andare la tua rabbia?

Esercizio Quattro

Affrontare le critiche

Trova un posto adatto alla meditazione. Prenditi tempo per rilassarti usando uno degli esercizi preparatori. Cerca di ricordare che, quando sei teso o su di giri, il tuo corpo riflette questo stato d'animo. La respirazione diviene irregolare e tutto il tuo essere ne soffre. Hai bisogno di scaricarti, di calmarti e di rilassarti. Fai questo al fine di comprendere cosa il Signore possa volerti dire.

Ora torna con il ricordo ai modi di comportamento che erano abituali nella tua famiglia. Cosa hai imparato da tua madre e da tuo padre circa le critiche? Cosa criticavano tua madre e tuo padre? Uno dei tuoi genitori era solito criticarti? Se sì, per che cosa ti criticava? Giudicava se stesso troppo duramente? Quand'è la prima volta che ricordi di essere stato criticato? Ora prenditi tempo per rinforzare la tua memoria. La tua famiglia era ipercritica? I tuoi familiari erano soliti criticare solo se stessi? Usavano forse criticare anche gli altri? Come giudicavano i vicini? A scuola, hai avuto degli insegnanti affettuosi che ti hanno incoraggiato? Ti dicevano sempre in che cosa eri carente? Cosa ti dicevano? Se questo è il caso, cominci a vedere da dove puoi aver preso il tuo atteggiamento, altamente critico?

Termina chiedendo al Signore di renderti meno inflessibile verso te stesso e verso gli altri.

Esercizio Cinque

Vangelo di san Marco
(Mc 8, 22-26)

Gesù guarisce un cieco

Sistemati in un posto adatto alla preghiera e leggi la storia.

> Giunsero a Betsaida, dove gli condussero un cieco pregandolo di toccarlo. Allora, preso il cieco per mano, lo condusse fuori del villaggio e, dopo avergli messo della saliva sugli occhi, gli impose le mani e gli disse: «Vedi qualcosa?». Quegli, alzando gli occhi disse: «Vedo gli uomini; infatti vedo come degli alberi che camminano». Allora gli impose di nuovo le mani sugli occhi ed egli ci vide chiaramente e fu sanato e vedeva a distanza ogni cosa. E lo rimandò a casa dicendo: «Non entrare nemmeno nel villaggio».

Comincia a comporre lentamente la scena nella tua mente. Costruisciti un'immagine dell'uomo cieco e pensa a come deve aver passato i suoi giorni. Per la maggior parte delle sue necessità e delle sue richieste doveva avere qualcuno che lo assistesse. Non si sentiva mai libero. Era, per così dire, schiavo della sua infermità. Immagina adesso la scena di quel particolare giorno descritto nella storia. Immagina il momento in cui il cieco ha sentito Gesù avvicinarsi a lui. Chiamò forse i suoi amici per chiedere loro di condurlo nel luogo in cui si trovava Gesù? Quanta fede gli ci volle per farsi portare di fronte a Lui? Pensa a come deve essersi sentito quando cominciò a intuire a poco a poco che gli veniva restituita la vista.

Cerca ora di immaginare te stesso nei panni di quel cieco. Se ti fossi trovato tu in quelle condizioni, come ti saresti sentito nell'udire che Gesù si stava avvicinando al luogo in cui ti trovavi? Avresti avuto il coraggio sufficiente per chiedere ai tuoi amici di aiutarti? Pensa a come sarebbe stato per te il trovarti di fronte a Gesù e alla folla. Di quanto coraggio avresti avuto bisogno per fare la tua richiesta a Cristo davanti a tutta quella gente? Come ti saresti sentito nel percepire il tocco delle Sue dita sui tuoi occhi? Immagina di vedere per la prima volta delle forme indistinte. Ti saresti sentito deluso o felice per la guarigione parziale ricevuta? Saresti stato abbastanza onesto da riconoscere che qualcosa ti era accaduto e che eri in grado di vedere, anche se in modo incompleto? Quando sei infine stato capace di vedere chiaramente e di distinguere il volto di Gesù, cosa avresti voluto dirGli?

Se, in termini spirituali, ti consideri come il cieco, classificheresti la tua attuale vita spirituale come: nell'oscurità totale / nel momento in cui chiedi aiuto / nel momento in cui stai cominciando a vedere / nel momento in cui puoi vedere chiaramente? In quale aspetto della tua vita, nel momento presente, hai bisogno del tocco guaritore di Gesù?

Terminiamo pregando di non trovarci mai in lotta con l'Onnipotente o di non assumere mai un atteggiamento da schiavo, perché arresterebbe la nostra crescita. Preghiamo per l'integrità e la salute.

Thomas Large Whiskers, un centenario stregone indiano navaho, usava dire ai cristiani che gli facevano visita: «Non so cosa abbiate appreso a scuola o dai libri, ma la cosa più importante che ho imparato dai miei antenati è questa: C'è una parte della mente che non conosciamo e quella è la parte più importante per stabilire se stiamo bene o se siamo ammalati. Abbiamo bisogno di restare integri, non danneggiati. La differenza esistente fra la nostra cultura e la vostra è che la medicina dei dottori bianchi ha avuto la tendenza a essere solo meccanica. La persona ammalata viene riparata, ma non sta meglio di quanto non stesse prima della malattia. Nel mondo degli indiani è possibile diventare persone migliori dopo essere passati attraverso la malattia».

Preghiamo affinché qualsiasi difficoltà in cui veniamo a trovarci possa lasciarci altrettanto migliorati.

13
LA MORTE E IL MORIRE

> Gli esseri umani passano tutta la vita a prepararsi, prepararsi, prepararsi, solo per arrivare all'altra vita impreparati.
>
> *Saymal Rimpoch*

Non è facile essere esperti nel processo della morte. Da giovane, tutta questa faccenda mi confondeva e, fino al momento in cui fui ordinato sacerdote, non ho mai sperimentato la morte fra i miei familiari più prossimi o nel cerchio dei miei amici più intimi. Poco dopo l'ordinazione, l'ordine dei gesuiti fa una pratica insolita: richiede ai propri uomini di prendersi un periodo di esercitazione chiamato terziariato. È una specie di lucidatura finale e una parte di quella esperienza è designata a dischiudere in te delle zone del ministero che potrebbero esserti sfuggite. Quando mi fu richiesto se c'era una qualche particolare funzione del sacerdozio per la quale mi sentivo inadeguato, o in cui sentivo di non avere sufficiente esperienza, chiesi immediatamente di essere mandato in un ospedale per malati terminali. La persona incaricata di assegnare questi incarichi mi disse di contattare direttamente uno qualsiasi fra i migliori ospedali in materia in Irlanda e nelle Isole britanniche, e così feci. Mi fu fissato un appuntamento per incontrare la capoinfermiera di un istituto a Londra e alcune settimane dopo mi misi in viaggio.

Il mio primo incontro con la capoinfermiera si rivelò qualcosa di totalmente diverso da ciò che mi ero aspettato. Mi venne subito chiesto cosa intendessi fare all'interno dell'ospedale. Le spiegai pazientemente che avevo poca esperienza della morte o del morire e che mi sarebbe stato utile confrontarmi con situazioni di lutto. Suggerii che avrei forse potuto assistere il cappellano nei mesi in cui sarei stato all'ospedale. La capoinfermiera acconsentì prontamente, ma era una donna molto acuta e intelligente e mi parve di intuire in lei una certa dose di esitazione quando accettò la scelta di questo mio compito. Mi arrischiai a chiederle se pensava che la mia scelta fosse saggia ed essa mi rispose che, piuttosto che assistere il cappellano, lei mi avrebbe consigliato, se ne avesse avuto l'opportunità, di diventare un aiutante infermiere. Poiché questo termine mi giungeva nuovo, dovetti chiedere di cosa si trattasse, e la capoinfermiera mi informò che un aiutante infermiere era in pratica il più basso gradino nella vita dell'ospedale. Qualsiasi lavoro sgradevole che andava fatto, come lavare i gabinetti, spostare i pazienti per evitare piaghe da decubito o fare commissioni, era compito degli aiutanti. Essi avevano tuttavia un vantaggio importantissimo su qualsiasi altro nell'ospedale. A eccezione forse della donna che portava il tè, non c'era nessun altro che fosse così vicino agli ammalati, perché questi lo amavano e si fidavano di lui. Non avendo infatti alcuna forma di autorità, non generavano nessuna paura fra coloro che stavano per morire.

Entrai dunque nei ranghi degli aiutanti infermieri. Ricordo che, nelle prime due settimane del mio soggiorno all'ospedale, in pratica non morì nessuno. Mi sentii imbrogliato, e lo dissi alla capoinfermiera. Mi rispose che avrei rimpianto queste mie parole fra non molto perché, mi spiegò, per una qualche misteriosa ragione l'ospedale andava avanti per diverse settimane senza neppure un decesso e poi, inesplicabilmente, veniva subissato da un vero e proprio "diluvio" di morti. Le sue parole si dimostrarono profetiche perché proprio il giorno successivo iniziarono a registrarsi molti decessi.

La prima morte di cui sono stato testimone fu estremamente drammatica. Un uomo molto vecchio stava morendo e avevo lasciato la moglie seduta al suo capezzale per confortarlo. Poiché la parte finale della malattia si era protratta piuttosto a lungo, la moglie era molto stanca e il marito era scivolato nell'incoscienza. Fu a questo punto che un'infermiera mi chiese di sedermi con la coppia e di restare con loro. La moglie era seduta a un lato del letto, tenendo fra le sue la mano del marito, così io mi sistemai all'altro lato del letto e feci lo stesso. Il vecchio sembrava completamente senza vita. Dapprima, tutto era silenzioso. Dopo forse un minuto o due, l'uomo esalò un grande sospiro e inalò aria rumorosamente. Sembrò che in quel momento egli fremesse fra la vita e la morte e ingoiò l'aria che gli abbisognava per restare in vita qualche altro istante. Questo grande respiro fu seguito da un lungo periodo di inattività. Un ritmo definito cominciò a formarsi. Ogni tre o quattro minuti, una grande quantità di aria veniva inspirata, e tale attività era poi seguita da un intervallo abbastanza lungo di quiete.

Piano piano, nelle pause fra le due inspirazioni, la

moglie e io cominciammo a parlare. Era una signora dolcissima e sapeva raccontare molte bene. Mentre ambedue tenevamo fra le nostre le mani del vecchio, essa cominciò a raccontarmi della loro vita insieme. Come si erano incontrati, dove avevano vissuto, come non avevano potuto avere figli, e come suo marito si era ammalato. Tutto questo durò abbastanza a lungo, e la donna includeva costantemente il marito nella conversazione, benché questi sembrasse privo di sensi. Infine, dopo un periodo particolarmente lungo fra le due inspirazioni, la moglie mi chiese sommessamente se credevo possibile che fosse morto.

Per la verità rimasi del tutto senza parole. Non ne avevo la minima idea. Alla fine, dovemmo mandare a chiamare una dottoressa che ci facesse uscire da quella incertezza, e lei ci confermò che, in effetti, il paziente era spirato. Il suo momento era arrivato, era pronto, ed era scivolato tranquillamente fuori dalla vita senza creare alcuna confusione. Nelle settimane successive, altri pazienti morirono, e nel loro andarsene mi fecero conoscere nuovi aspetti del processo del morire.

Un altro approccio alla morte mi fu rivelato proprio il giorno successivo. Una delle infermiere dell'ospedale mi disse che si era sempre sentita portata a lavorare con i moribondi, ma che solo recentemente era entrata a far parte del personale dell'ospedale. Il suo primo compito fu quello di sedere con la famiglia di un moribondo il quale, le avevano assicurato, non aveva ancora molto da vivere. Sembrava infatti pronto a morire e lei restò seduta per tutta la prima notte con la famiglia e con gli amici in attesa della fine. L'atmosfera era bella, con i membri della famiglia che cantavano inni e recitavano preghiere, mentre l'uomo scivolava in uno stato di incoscienza. La veglia continuò per un altro giorno, e la giovane infermiera cominciava a sentirsi un po' in preda al panico. Sapeva di avere un appuntamento importante con il suo fidanzato ed era preoccupata per ciò che egli avrebbe potuto pensare se non si fosse presentata. Man mano che il giorno si trasformava in sera, essa pregava che la fine arrivasse velocemente. Il vecchio sarebbe mai morto? Tutto a un tratto, essa giura, il moribondo si sedette dritto sul letto e la guardò direttamente negli occhi. «Non sono ancora pronto a morire» furono le sue uniche parole. La povera infermiera mi disse di essersi sentita allo stesso tempo mortificata e piena di vergogna. Alcune ore più tardi il vecchio morì. L'infermiera mi raccontò che era usanza dell'ospedale fare una riunione dei familiari e degli amici intimi un mese dopo il funerale, di modo che i parenti potessero concludere il periodo di lutto in modo soddisfacente per se stessi e per le persone interessate. L'infermiera si incontrò quindi di nuovo con coloro che, quattro settimane prima, erano stati al capezzale del moribondo, ma nessuno menzionò l'incidente del vecchio che si era rizzato a sedere. «Sono certa di averlo visto, ma gli altri no, per cui sono convinta che il messaggio fosse diretto soltanto a me. Posso dire solo di aver fatto un voto quel giorno, e cioè che non penserò mai più di affrettare la morte di una persona o di forzarla a morire prima che sia pronta.»

Molti di coloro che morirono all'ospedale in quelle settimane mi impartirono delle lezioni speciali. Alcuni sentivano quanto era benefico avere delle convinzioni ben definite e un "luogo" verso cui andare. Altri dissero che il "viaggio" in se stesso era di primaria importanza e che volevano passare le loro ultime ore guardandosi indietro e ricordando luoghi e persone che erano stati importanti per loro. Volevano anche assicurarsi di aver sfruttato al meglio le loro opportunità, perché non volevano morire con il rimpianto di aver perduto delle occasioni o sciupato delle possibilità. Un paziente in particolare, non lontano dalla fine, disse al dottore e a me: «Voi non capite. Non sto piangendo perché sto per morire. Piango perché non ho mai vissuto».

In seguito, il dottore osservò: «Non mi sono mai trovato al capezzale di un moribondo che rimpiangesse di non aver passato più tempo in ufficio, ma mi sono trovato vicino a molte persone che avrebbero voluto aver messo ordine in modo più sensato fra le loro priorità nel corso della vita».

Un altro paziente teneva stretta fra le mani una poesia che riusciva ancora a recitare parola per parola. Conteneva le parole di un vecchio capo indiano alla fine della sua vita, ed erano i sentimenti che il paziente stesso aveva usato come mantra durante la propria vita. La poesia diceva che l'autore aveva imparato parecchio sulla vita. Se avesse potuto rivivere, avrebbe cercato di commettere più errori. Si sarebbe rilassato, sarebbe stato più allegro, si sarebbe comportato in modo più pazzo di quanto non avesse mai fatto. Se avesse potuto rifare tutto di nuovo, avrebbe viaggiato con meno bagaglio, e avrebbe iniziato il proprio viaggio all'inizio della primavera. Avrebbe poi continuato fino alla fine dell'autunno e avrebbe ballato più spesso durante il tragitto. Ma, vedi, non poteva rivivere di nuovo la sua vita e solo adesso si rendeva conto delle opportunità perdute per non essere stato più avventuroso.

Altri pazienti si comportavano in modo diametralmente opposto. Volevano avere sempre davanti agli occhi la destinazione finale. Credevano che ciò li avesse resi, durante la loro vita, più consapevoli e grati per ciò che avevano ricevuto, e perciò avevano mantenuto la loro esistenza, unitamente alla vitalità e alla salute, costantemente in primo piano nei propri pensieri. Erano d'accordo con sant'Ignazio di Loyola quando sottolineava che noi tutti siamo in viaggio e che la fine della spedizione è molto più importante di ciò che accade lungo il tragitto.

Non potevano portarsi dietro niente di ciò che avevano raccolto o guadagnato. Un vecchio ha detto: «Non ho mai visto il furgone del trasloco seguire un feretro».

Un quarto gruppo di moribondi che ho incontrato aveva un diverso messaggio da convogliare. Nello star seduto con loro durante la parte finale del viaggio, cominciavi a capire che il tuo compito era accompagnare qualcosa di prezioso. Avevi la sensazione di dover camminare con loro in un pellegrinaggio privato, senza spingerli a muoversi alla tua velocità o lungo una strada scelta da te. Ti aiutavano a capire che nessuno può insegnarti cosa dire o cosa fare. Il cuore ti guida a fare la cosa giusta, se glielo permetti. Se non ascolti il tuo cuore, finirai per sentirti molto imbarazzato dal tuo rendimento lungo il cammino. Se non sai cosa dire, puoi scegliere la via del silenzio. Ciò, naturalmente, potrebbe essere interpretato in qualsiasi modo. Una signora, sapendo che ero un prete, mi fece vergognare parecchio asserendo che non avevo detto niente delle preghiere o del pregare. Non mi ero infatti mai offerto di pregare con lei. Mi sentivo a disagio in presenza della morte e avevo bisogno di assistenza nell'intraprendere i passi giusti. Credo che lei lo abbia intuito e me lo fece capire con un rimprovero abbastanza delicato. «E, comunque, che tipo di prete siete?» disse con un sorriso.

La morte e il morire sono un momento stressante per coloro che si trovano ad affrontarlo. Al funerale, lo svolgimento del rituale è più importante di ciò che viene detto. Spesse volte, ciò che dici in realtà passa del tutto ignorato. Non passa invece ignorato il fatto che tu sia presente o assente. Questa è una cosa molto sentita in Irlanda. La bellezza della veglia irlandese è che – per lo meno fino a qualche tempo fa – puoi essere il tipo di persona che desideri durante la cerimonia. Non devi mostrarti troppo contegnoso o gentile. Se sei il tipo estroverso ed esuberante, va bene. Se preferisci restare in silenzio e in atteggiamento compunto, anche questo è accettato. Se desideri piangere, ci sono persone appositamente preparate per aiutarti a farlo. Sono in genere donne di una certa età, più o meno delle prefiche professioniste. Ciò significa che, in passato, esse prendevano parte a quasi tutti i funerali che si tenevano per parecchie miglia nei dintorni. Queste donne sedevano in un angolo e conferivano all'intera funzione un'atmosfera di solennità. Erano di appoggio alla famiglia e ai visitatori nel periodo più nero, proprio al momento della morte. In seguito, aiutavano le persone a riprendere il controllo di se stesse e a ricominciare a vivere. Oggi, parte del sostegno che circonda il processo della morte e del morire sta sparendo. Coloro che sono strettamente collegati con la perdita di una persona cara vengono fatti calmare. Gli può venir offerto del Valium per anestetizzarli o un paio di pillole, dicendo loro che presto staranno bene. Chi offre le pillole generalmente sottintende che noi, gli spettatori, ci sentiremo meglio se i dolenti prenderanno la medicina che porgiamo loro, che li mette fuori combattimento. Colui che prenderà la pillola andrà praticamente in coma, perché non è stata inventata ancora alcuna pillola che curi il dolore. Può soltanto rimandarlo, intendendo con questo che l'angoscia esploderà, più tardi e in modo più dannoso, in un momento successivo della vita.

All'ospedale, ho incontrato una volta o due delle persone che non solo erano pronte ad affrontare la morte, ma che sembravano addirittura pronte ad accoglierla con gioia. È sorprendente come questo accadesse più con i bambini che non con le persone adulte. Un perfetto esempio di questo è stato un ragazzino di circa sei anni. Tutti sapevano che la sua malattia era seria e che la sua prognosi non era favorevole. Ogni pomeriggio la madre del bambino era solita fargli visita da sola, poiché era un genitore single. Dopo alcune settimane questa signora andò dal cappellano e gli disse che suo figlio la stava veramente turbando. Quasi ogni volta che gli faceva visita, il bambino parlava di un misterioso cavallo bianco. Diceva alla madre che ogni sera, dopo che era andata via, questo cavallo bianco veniva a trovarlo in corsia. Sembrava essere molto eccitato dalla visione e la madre avrebbe voluto sapere cosa potesse mai significare. Il cappellano pensò al modo migliore in cui poter spiegare la visione. Disse alla madre che, se si sentiva libera nel cuore, avrebbe potuto parlare di questo cavallo a suo figlio e chiedergli se voleva cavalcarlo. Proprio la sera successiva il cavallo bianco fu nominato di nuovo e la madre diede al figlio il permesso di cavalcarlo, se lo desiderava. Poco dopo, andò a casa per la notte. Qualche ora dopo fu richiamata urgentemente all'ospedale dove l'infermiera di turno le comunicò che suo figlio era appena spirato con la più beata espressione sul volto.

La donna chiese al cappellano cosa aveva rappresentato il cavallo bianco. Egli spiegò che, nell'antica mitologia irlandese, il cavallo bianco era un simbolo o il compagno della morte. Se lo desideravi, poteva portarti allo stadio successivo del viaggio della vita. «Penso che ciò che vostro figlio ha tentato di dirvi» spiegò il cappellano «è che era pronto ed era in attesa di muoversi. Era pronto. Aveva compiuto in vita ciò che Dio voleva da lui, ma desiderava il vostro permesso per andare, prima di compiere il passo successivo. Voleva sapere se eravate pronta a lasciarlo andare.»

Queste reazioni diverse alla morte e al morire possono aiutarci a capire quale reazione potremmo avere noi stessi se dovessimo affrontare una circostanza di morte. Anthony De Mello chiedeva spesso ai suoi ascoltatori di pensare alla loro situazione presente e alle loro difficoltà immaginando di essere in punto di morte. Diceva che era un ottimo toccasana per rimettere le cose nella giusta prospettiva. Provalo anche tu. Era evidentemente il pensiero preferito di un tale che occupava un antico cimitero irlandese, il quale fece incidere queste parole sulla sua lapide in modo che tutti potessero vederle. Se la guardi, sarà difficile che tu non ne rimanga impressionato.

Dove sei tu adesso, anch'io ci fui un tempo.
Dove sono ora io, anche tu ci sarai presto.
Perciò fermati e recita una preghiera per me.

Esercizio Uno

A novembre ricordiamo

Novembre è il mese in cui, per tradizione, ricordiamo e preghiamo per coloro che sono morti. Questa meditazione può essere fatta da soli o in gruppo. Se conduci la sessione con un gruppo, concedi poi tempo ai partecipanti di condividere le proprie impressioni con la persona seduta di fianco a loro. Potrebbero aver bisogno di elaborare parte del materiale che è venuto alla luce dentro di loro.

Inizia con il trovare un luogo adatto alla preghiera, dove non verrai disturbato. Lascia che le sensazioni, le emozioni e i pensieri di fondo emergano. Prenditi cura di questi sentimenti chiedendoti come ti senti al momento presente. Mentre stai seduto e cominci a pregare, i tuoi bisogni emergeranno dall'inconscio.

Questo avviene perché hai creato tempo e spazio per loro. Comincia adesso a concentrarti a poco a poco sulla tua respirazione. Diventa consapevole del respiro mentre entra ed esce dal tuo corpo. Conta silenziosamente fino a quattro durante l'inspirazione, facendo entrare l'aria profondamente dentro di te. Conta ancora fino a quattro durante l'espirazione. Durante ciascuna inspirazione, chiedi a Gesù di benedirti con la sua pace. Durante ogni espirazione, lascia che problemi e ansietà si allontanino da te.

Quando ti senti pronto, inizia a costruire con la fantasia l'immagine di un molo. Questo molo è circondato dal mare da ambedue i lati. In fondo a esso puoi scorgere vagamente un faro. È avvolto in una specie di pallida nebbia biancastra. Pensa ora a qualcuno che ha un significato speciale nella tua vita. Poni te stesso con questa persona all'inizio del molo. Essa si avvia verso il faro e la nebbia. Ti sarebbe grata del tuo sostegno lungo il percorso. Comincia anche tu a camminare con lei. Mentre andate insieme, ripensa a ciò che ha reso questa persona così speciale. Cosa c'era in lei che ti è particolarmente piaciuto? Di tanto in tanto, mentre camminate, ti accorgi che sta cominciando a dare segni di stanchezza. Forse sente di voler rinunciare. Ha bisogno del tuo incoraggiamento. Prega per lei, affinché abbia l'energia necessaria per andare al di là. Chiedi al Signore di guidarla e sostenerla durante il viaggio. Ringrazia questa persona per tutto ciò che è stata per te mentre era viva.

Termina lasciandole percorrere l'ultimo tratto di cammino da sola. Lasciala andare coraggiosamente verso la luce.

Esercizio Due

Preghiera di fantasia con lo spirito

Chiudi gli occhi e comincia a respirare un po' più profondamente del consueto. Spingi giù il respiro fino al diaframma e allo stomaco. Usa adesso l'immaginazione per raffigurarti l'aria mentre si muove nelle diverse parti del tuo corpo. Io immagino spesso che la stanza che uso per pregare sia piena di una nebbia gialla o di un'aura di pace che assorbo attraverso il respiro. Questa nebbia ti entra nel corpo attraverso le narici, va giù nella gola e da qui nelle spalle, dopo di che si fa strada fino alle braccia e alla punta delle dita. Lascia ora che questa nebbia cominci a riempirti il torace e a circolare intorno alla spina dorsale. Lasciala arrivare fino in fondo allo stomaco. Questa è l'immagine che tieni presente mentre inspiri. Quando espiri, lascia che l'aria esca lentamente dal tuo corpo e, nello stesso tempo, immagina che ogni problema o tensione che hai trattenuto in te si dissolva. Con l'inspirazione, tu cerchi di attrarre al tuo interno lo spirito di Dio. Ciò produce un senso di pace e di tranquillità. Con l'espirazione, cerchi di disperdere qualsiasi tensione, problema, preoccupazione o ansietà e chiedi che vengano portati via con il flusso del tuo respiro che esce dal corpo. Con questo esercizio inizi a fare due cose. Primo, fai uso dell'immaginazione per influenzare il corpo perché il tuo respiro in realtà non arriva giù fino alle dita dei piedi, ma puoi immaginare che lo faccia. Cominci poi a prendere controllo della tua consapevolezza, dirigendola dove può esserti di beneficio. Quando sei pronto, passa alla fantasia seguente.

Immaginati in piedi su una collina erbosa. È una sera estiva e il cielo è sereno. C'è solo una leggera brezza sul tuo viso e nei tuoi capelli. A una certa distanza vedi un fiume, che è largo e profondo. La sua superficie è liscia e le sue acque sembrano non muoversi neppure. Tu sai che qualcuno ti sta aspettando sull'argine. Si tratta di qualcuno che ti conosce e che nutre un grande affetto per te. Mentre ti avvicini a questa figura, cerca di scoprire se è qualcuno che conosci molto bene, oppure qualcuno che non ti è troppo familiare. Tu sai che si tratta di una persona saggia, che conosce il fiume, una persona che ti guiderà fino al prossimo stadio del tuo viaggio. Man mano che ti fai più vicino, lui, o lei, ti saluta e indica una barchetta di legno legata al vicino argine. Questa persona si offre di portarti a fare una gita in barca. È una scelta che devi fare. Scegliere se fidarti di questa persona, se entrare nella barca, sono decisioni che devi prendere da solo. Tu devi decidere. La tua guida sale sulla barca prima di te e fa sedere te in fondo alla barca. Ora vi muovete verso il centro del fiume. Non sai dove vi porterà la barca, ma sai di trovarti con qualcuno di cui ti puoi fidare. Lasciati trasportare dal fiume. Sii consapevole. Osserva e sperimenta le sensazioni di questo viaggio. Lasciati andare con questa persona e vedi quali aree di interesse o quali argomenti vengono toccati nella vostra conversazione.

Quanto ti senti pronto, comincia di nuovo a concentrarti sul respiro e ascolta l'aria mentre entra ed esce dalle narici. Lascia quindi che la tua consapevolezza si sposti verso l'esterno per captare qualsiasi suono nella stanza. Poni infine la tua attenzione ancora più verso l'esterno, cercando di percepire i suoni al di fuori della stanza. Cosa puoi sentire? Quando sei pronto, ritorna al tempo e al luogo presente e, se fai parte di un gruppo, condividi con un tuo compagno cosa hai sperimentato.

Esercizio Tre

Cercare l'appagamento nella vita

Mettiti seduto e assumi una posizione che ti permetta di tenere la testa e la schiena ben dritte. Fa' che il tuo corpo sia composto e vigile, pur restando rilassato e in posizione comoda. Gli occhi devono essere chiusi o semichiusi. Se tieni gli occhi semichiusi, devono essere fissi su un oggetto a scelta, come la fiamma di una candela o un crocifisso. Tieni le mani congiunte in grembo. Ad alcune persone piace meditare camminando. Anche a me piace, però ricorda che, benché sia vero che i chiostri monastici furono costruiti proprio a questo scopo, è tuttavia difficile mantenere la concentrazione mentre il corpo è in movimento. Per prima cosa, concentrati sul respiro perché esso calma il corpo e aiuta a tranquillizzarti.

Sviluppa anche la propria forza interna. Riempi ora il tuo corpo di aria fin nel profondo e quindi svuotalo lentamente, espirando con delicatezza. Continua a respirare in questo modo, lentamente e profondamente, tenendo le labbra leggermente aperte, inspirando attraverso il naso ed espirando attraverso la bocca. Conta i respiri e, nel farlo, concentrati su questo conteggio. Pensa alla mente come a un laghetto la cui superficie, quando viene agitata dai venti della rabbia o del desiderio, non è in grado di riflettere il sole. Stai cercando di trovare un riflesso interiore della bontà di Dio nella tua vita.

Inizia ora la meditazione. Richiama alla mente alcune persone di tua conoscenza che hanno molto poco dei beni del mondo, ma che tuttavia sembrano essere felici. Chiedi che cosa le renda felici. Potresti pensare a un personaggio storico oppure a qualcuno che conosci personalmente. Se non ti viene in mente nessuno in queste due categorie, pensa a dei personaggi famosi. Potresti pensare a qualcuno come Brian Keenan o Terry Waite. Ambedue sono stati fatti prigionieri negli ultimi anni. Hanno dovuto affrontare molte avversità. Tuttavia sono stati capaci di trarre grande gioia nel trasferimento da celle senz'aria a prigioni in cui si poteva vedere una parte di cielo. Da dove hanno preso il loro senso di gratitudine? Rifletti adesso per un po' su persone infelici che sembrano avere gran parte dei beni che la vita può offrire. Pare che abbiano salute, ricchezza e libertà. Cerca di scoprire da dove deriva la loro insoddisfazione. Immagina di ascoltare le loro lamentele. Ripensa adesso ad avvenimenti della tua vita che avrebbero dovuto renderti felice, ma che non l'hanno fatto. Prega affinché in futuro tu possa essere felice e grato per qualsiasi cosa tu abbia.

Sappi che è impossibile essere grati e infelici allo stesso tempo.

Esercizio Quattro

Meditazione per studenti più anziani

La meditazione può essere un'esperienza naturale che dischiude zone di energia e di intuizione personale. Implica l'arte di "essere soltanto" e non è realmente interessata ai successi da te riportati nella vita. Molti di noi conducono un'esistenza piena di pressioni nel nostro affrettarci per il lavoro, per giocare, per parlare, per avere successo, per far fronte alle responsabilità, per evitare l'insuccesso e per consumare addirittura sempre di più. Un breve momento di meditazione può aiutarci a diminuire gli effetti distruttivi di tali pressioni.

Recati nel luogo che usi per pregare e sistemati per la meditazione. Inizia un esercizio per la consapevolezza, concentrandoti sulla parte superiore della tua testa. Cerca di percepirla mentre si rilassa. Sposta ora l'attenzione al viso. Di' a te stesso che il tuo viso si sente rilassato. Spostati ora alle spalle. Pensa: "Le mie spalle e il mio petto sono rilassati, mi sto rilassando. Le mie braccia e le mie mani sono rilassate. Mi sto rilassando. Le mie gambe e i miei piedi sono rilassati. Mi sto rilassando. Sono rilassato. La mia mente è calma. Il mio corpo è calmo. La mia mente è attenta. La mia mente è sveglia". Non fare questo esercizio in fretta.

Si cerca spesso di fare la meditazione in tranquilli ambienti monastici, lontano dall'usura del rumore e dal disturbo dell'umanità. Là funziona bene. È tuttavia possibile cercare di meditare anche in ambienti più affollati. Nella casa delle novizie di Madre Teresa a Calcutta, la preghiera e la meditazione serali sono condotte fra le condizioni più rumorose che si possano immaginare. Anche qui funziona.

Immagina ora di star andando con degli amici verso una spiaggia illuminata dalla luna. Il tuo gruppo ha intenzione di passarvi la notte in tenda, ma prima viene acceso un fuoco per sedersi intorno. Gioisci perché questa gita sta avendo luogo. Rendi grazie di poter essere te stesso senza finzioni insieme a questi amici. Comincia adesso a raccontare com'è stato per te finora l'anno scolastico. Ripensa allo stress nell'iniziare il tuo ultimo anno. Ricorda quando gli insegnanti ti dicevano che avevi bisogno di prendere gli studi sul serio. Riporta alla memoria l'ansietà che hai provato nel decidere i tuoi passi futuri. Ricorda lo stress a casa, con i tuoi genitori, con i tuoi fratelli e con le tue sorelle. Ti tormentavano anche loro sul fatto che la vita fosse diventata più seria? Pensa alle relazioni in cui sei coinvolto. Sono di aiuto o di ostacolo al tuo progresso attuale? Rendi grazie per essere in questo luogo illuminato dalla luce lunare e perché puoi parlare di queste cose con i tuoi amici. Resta con tutto ciò che ti viene alla mente. Ringrazia infine Dio per essere arrivato a questo punto. Rendi grazie per gli amici che sono con te e porta a termine la meditazione.

Esercizio Cinque

Il piroscafo

Uno dei punti e scopi della meditazione è quello di integrare la riflessione con l'azione nella vita di ogni giorno. Essendo cristiani, può essere giusto dire che, durante la meditazione, desideriamo assicurarci di dove Dio ci stia conducendo o dove Egli sia particolarmente attivo. Impieghiamo del tempo per fare un inventario di noi stessi.

Comincia con l'esaminare la tua vita com'è in questo momento. Rifletti onestamente su ciò che si sta verificando dentro di te. In quest'ultimo periodo, hai dedicato tempo e pensieri ai tuoi veri interessi e hai cercato di svilupparli? Il tuo stile di vita dà nutrimento a questi interessi ed è di aiuto alla tua salute? Lavori troppo, o non abbastanza? Cerca di scoprire quali sono le tue priorità. Forse ti piacerebbe tenere un diario delle tue meditazioni. Sarebbe una cosa utile, perché un diario aiuta a mettere a fuoco ciò che sta succedendo nella propria vita. Dando uno sguardo indietro può mostrare quanta saggezza è stata impartita negli ultimi mesi, e dando uno sguardo avanti può mostrare quale può essere, secondo la logica, il prossimo passo. Se prendi nota di ciò che ti accade durante la meditazione, puoi render evidenti le difficoltà che incontri, dove ti areni e ciò che trovi essere fruttuoso.

Esegui uno dei soliti esercizi preparatori per essere pronto all'esercizio seguente. Immagina di essere sul ponte di un piroscafo mentre si appresta a partire. Guardi la riva e vedi tutta la tua famiglia e i tuoi amici che ti salutano con la mano. Nella fantasia, non puoi scegliere se partire o meno, perché la nave si sta già muovendo. Pensa per un momento alle persone sulla riva. Sono venute ad augurarti buon viaggio. Cosa vorresti ti dicessero mentre stai partendo? Quali loro parole o azioni ti sarebbero di maggior aiuto per il viaggio?

Ora sei al largo e la spiaggia è ormai molto lontana. Guarda avanti e vedi sia il mare sia il cielo di fronte a te. Fissa il cielo e cerca di visualizzare la presenza immediata di Dio, o dello Spirito Santo, o di Gesù, o di Maria. Non preoccuparti se non riesci a visualizzare troppo bene. Fai del tuo meglio per dire alla Presenza di fronte a te: «Per mezzo della Tua benedizione, grazia e guida, possano tutte le azioni, pensieri o blocchi negativi o emozioni distruttive dentro di me essere purificati ed eliminati. Che io possa sapere di essere stato perdonato per qualsiasi danno possa aver provocato con i miei pensieri o azioni. Possa io morire di una morte pacifica e possa io, come risultato della mia morte, essere in grado di recar beneficio a tutti gli altri esseri umani, vivi o morti». Immagina quindi che l'Essere a cui stai parlando ti risponda con un sorriso affettuoso e che irradi verso di te amore e compassione. Mentre la Sua bontà purifica ogni elemento negativo dentro di te, invia il tuo ringraziamento e la tua benedizione a coloro che hai lasciato dietro di te.

Quando ti senti pronto, ritorna al momento e al luogo presente e, se ti trovi in un gruppo, condividi con chi è seduto vicino a te cosa hai sperimentato durante l'esercizio di fantasia.

14
ALLA RICERCA DELLA FELICITÀ

Il tempo migliore per piantare un albero era vent'anni fa. L'altro tempo migliore è adesso.

Proverbio cinese

Una storia ebrea racconta di una donna vecchia e arrabbiata che non sapeva perché fosse così di malumore. Aveva smesso di andare in sinagoga qualche tempo prima di diventar preda di questi sentimenti sconfortanti. Un giorno, il rabbino del luogo andò a casa sua e le chiese se poteva sedersi con lei vicino al caminetto. Sedettero insieme a lungo, rimanendo in silenzio. Alla fine, il rabbino prese le molle per il fuoco e raccolse dai tizzoni un pezzo di carbone ardente. Lentamente lo posò sul focolare. Mentre i due lo osservavano, il carbone perse il suo bagliore e lentamente si spense. Dopo qualche minuto l'anziana donna disse: «Capisco il significato del vostro messaggio. La settimana prossima verrò in sinagoga. Ora so che, se non lavoro alla mia relazione con Dio, questa si indebolirà e morirà».

Un monaco, conosciuto come padre Pyotr, viveva sul monte Athos, lungo la costa greca, in una caverna molto difficile da raggiungere. Era più o meno inaccessibile ai comuni mortali, ed era dura per il buon monaco, che doveva procurarsi ogni giorno cibo e acqua. Quando gli fu chiesto come poteva sopravvivere, il vecchio padre rispose che ogni mattina mandava giù un secchio lungo il lato della scogliera e, al calar della sera, lo tirava di nuovo su. Il secchio era sempre pieno di formaggio e di pane e ciò, diceva, avveniva grazie alla natura generosa della gente che viveva in basso. Queste buone cose gli riempivano la pancia. Gli fu chiesto poi cosa avrebbe fatto se una volta il secchio fosse tornato su vuoto. Il vecchio monaco sorrise e rispose: «Ogni giorno prego Dio di mandarmi cibo e acqua. Ho vissuto in questa caverna per più di metà della mia vita. Fino a ora, quando viene la sera e tiro su il secchio, non sono mai stato deluso. Credi che dovrei cominciare a preoccuparmi per il futuro proprio ora?».

Il vecchio monaco aveva messo le sue priorità nel giusto ordine. Manteneva la sua relazione con Dio come meglio poteva, ed era certo che il Signore si sarebbe preso cura di lui lungo la strada. Talvolta coloro che andavano a trovarlo non erano così ben equilibrati. Benché riuscissero a trovare, nei loro viaggi, il luogo in cui viveva padre Pyotr, essi erano molto meno sicuri di lui di sapere dove erano diretti. Spesso il monaco chiedeva loro come fossero riusciti a localizzare il suo nascondiglio e quale fosse la destinazione finale del loro viaggio. Quelli riuscivano spesso a rispondere alla prima domanda, ma avevano molta difficoltà a trovare una risposta alla seconda. Non erano veramente sicuri di quale direzione avrebbe potuto prendere la loro destinazione o di che cosa stessero in realtà cercando. Alcuni si erano messi alla ricerca da parecchio tempo.

Avevano viaggiato in lungo e in largo. Qualcuno di loro, come Icaro nell'antica mitologia greca, era rimasto bruciato lungo il cammino. Ignorando i saggi consigli di familiari e amici, avevano volato troppo vicino ai rischi e alle tentazioni, ed erano precipitati. Poiché avevano volato troppo in alto, troppo velocemente e troppo imprudentemente, avevano subito una caduta. Come i semi sparsi nella storia del Vangelo, molti si erano inariditi ed erano stati danneggiati, mentre cercavano il significato e lo scopo del viaggio della vita. E ora si chiedevano perché dovesse essere così.

Alcuni anni fa dovemmo rifare alcuni lavori di restauro nella nostra casa. Osservai con meraviglia il procedere dei lavori. L'uomo a cui era stato affidato l'incarico era simpatico e competente. Quando gli fu chiesto quanto tempo ci sarebbe voluto per completare il lavoro, ci assicurò che l'intera operazione sarebbe durata tre settimane. Si mise quindi all'opera. Lo vidi andare e venire regolarmente per più di due settimane e mezzo. Impiegò certo del tempo nell'esecuzione del suo compito ma, per quanto mi era dato a vedere, non c'era assolutamente alcun progresso. Sembrava semmai che il lavoro regredisse. Una specie di muffa apparve sulle pareti. Certe macchie erano visibili sul soffitto. Avvicinandoci alla fine della terza settimana, domandai quali difficoltà potevano averlo fatto restare così indietro con il lavoro e, cosa più importante, quando dovevamo aspettarci il completamento della riverniciatura.

Mi disse con un sogghigno che il lavoro andava esattamente secondo il programma e che quasi tutto era sotto controllo. Mi spiegò che il grosso di ogni lavoro consisteva nell'iniziare nel modo giusto. Era necessario eseguire ogni tipo di controlli e verifiche supplementari. Si doveva aggiustare ogni più piccolo difetto, invisibile a occhio nudo, prima di fare il lavoro visibile. La muffa e le macchie che tanto mi avevano preoccupato non erano altro che il lavoro preparatorio per il riempimento di piccoli fori e, una volta fatto ciò, la verniciatura vera e propria era un gioco da ragazzi. «Fai bene il lavoro iniziale, e il resto verrà da sé. Se l'inizio è sbagliato, non sarai mai in grado di eseguire bene il lavoro.» Questo era il suo messaggio, che si applica anche a coloro che sono alla ricerca del significato e dello scopo della vita.

Alcuni si trovano in difficoltà perché partono nel modo sbagliato. Sant'Ignazio di Loyola non ci è andato leggero con questo fatto. Inizia con i principi più importanti, avrebbe detto. Ricordati di chi ti ha creato, di dove stai andando e di cosa hai bisogno per arrivarci. Anthony De Mello è stato altrettanto deciso circa l'importanza di mantenere a fuoco il proprio scopo primario. Se dimentichiamo che Dio è il nostro creatore, e che il nostro compito principale è l'acquisizione del regno, allora il nostro punto di partenza è incrinato. Carl Jung soleva dire che, fra le centinaia di pazienti che aveva curato durante la sua vita, le persone con i più grossi problemi erano coloro il cui scopo primario non era chiaro. Avevano in genere una voragine nella propria esistenza. All'analisi conclusiva, mostravano di mancare di qualsiasi sentimento per la sfera religiosa o di spazio nella loro vita. Alcuni individui si allontanano dalla strada giusta perché non arrivano ad accorgersi o a ringraziare delle buone cose che hanno ricevuto. Hanno forse bisogno di rivalutare la situazione.

In Africa si racconta di un giovane che abbandonò il suo villaggio perché non poteva sopportare il modo in cui era trattato. Sentiva di non essere rispettato abbastanza e che gli venivano assegnati troppi compiti poco importanti. Viaggiando lontano dal suo villaggio, scoprì che le colline lontane spesso non sono così verdi come sembrano. Durante il viaggio, alcuni tipi antipatici lo insultarono perché era un cafone di campagna. Altri, con storielle fantasiose, lo raggirarono e gli presero il poco denaro che possedeva. Altri ancora lo convinsero a fare dei lavori umili, pagandolo poi una miseria. Ogni notte, doveva trovarsi un posto per dormire, e gli ostelli erano spesso assai poco piacevoli. Una notte, mentre era sdraiato come al solito, aveva lasciato le scarpe vicino a sé, sistemate nella direzione in cui voleva andare la mattina seguente. Sapeva che questo l'avrebbe aiutato a orientarsi. Sfortunatamente, un burlone si trovò a passare da lì e girò le scarpe in modo che risultassero posizionate nella direzione dalla quale egli era originariamente venuto. La mattina il giovane si incamminò per la strada indicata dalle scarpe, e finì per ritrovarsi nel suo villaggio di origine. Dato che era stato via parecchio tempo, dapprima non riconobbe il luogo natio. Dopo le sue imprese, tutto gli sembrava diverso. Cominciò a vedere le cose da una diversa angolatura. Dopo tutto, ciò che la vita gli offriva a casa non era poi tanto male.

Alcuni mistici orientali ribadiscono continuamente questo punto e Anthony De Mello è in prima linea. Nel dirigerti verso il regno, cerca di volere ciò che hai. Non farti scoraggiare dai cardi e dalle spine che probabilmente incontrerai lungo la strada. Cerca di vedere come Dio smussa per te gli spigoli più appuntiti della vita, proprio quando hai maggior bisogno di aiuto. Ricordati che le aquile, quando costruiscono il loro nido, cominciano con rami molto grossi e con ramoscelli ruvidi. Quando le uova stanno per schiudersi per lasciar uscire i piccoli, la madre si strappa della morbida peluria dal petto e prepara per loro un posto morbido e comodo. Ambedue i genitori vanno a caccia per tutto il giorno perché sanno che la loro progenie è fornita di un vorace appetito. Gli aquilotti si stanno avviando sul sentiero della vita. Iniziano con un'esistenza di ozio e di comodità. Tuttavia, se pensano che andrà avanti così, saranno amaramente delusi.

I genitori sanno che le qualità dell'aquila non si sviluppano stando comodamente in panciolle in un nido foderato di piume. Un bel giorno arriva il momento della verità. La madre ritorna dalla caccia e comincia a gridare e a pestare tutto intorno al nido. La prole, terrorizzata, cerca di restare alla larga da lei. Ma niente la ferma. Il suo veloce movimento spazza via tutta la peluria dal fondo del nido. In breve tempo, tutto ciò che resta sono i pesanti e scomodi bastoncini e ramoscelli di sostegno. Le cose diventano all'improvviso essenziali. I piccoli devono usare i propri artigli per restare in equilibrio nel nido e devono imparare che si sta velocemente avvicinando il tempo in cui dovranno provvedere a se stessi. Con la pratica, i loro artigli diventano più agili e forti. È quasi arrivato il giorno in cui salteranno fuori dal nido e si prenderanno cura di se stessi. Non è qualcosa che fa loro piacere, ma hanno imparato la lezione. Sono stati messi nel giusto punto di partenza. Da ora in poi devono utilizzare le capacità con cui sono nati per trovare ciò di cui hanno bisogno per sopravvivere.

Per gli esseri umani, cercare e sopravvivere sono in certo qual modo cose diverse. Per noi, l'anima e lo spirito entrano in se stessi durante la ricerca. Il viaggio della vita ci porta attraverso vari stadi difficili da identificare, ma quanto segue può dare un'idea della progressione. La chiamata viene per prima. Sentiamo in certo qual modo che la vita deve avere un significato, e cerchiamo una qualche guida che ci diriga. Può trattarsi di una Chiesa, di un guru spirituale, o di un modo di vita. Come per ogni persona che si è messa alla ricerca, il nostro viaggio spirituale implicherà la sopportazione di prove, il superamento di esami e l'accettazione di sfide lungo il cammino. Queste prove possono comportare delusione, depressione, rimpianto, impazienza, un senso di futilità, e perfino cinismo. Dopo la chiamata viene la ricerca. Ciò che cerchiamo è «un qualcosa di segreto» che non può essere espresso facilmente a parole. Per esprimersi in termini più eleganti, siamo alla ricerca dello scopo della vita e cerchiamo di scoprire di cosa si tratta. Dopo questa fase, viene ciò che è talvolta chiamato «apertura del varco». Alcuni mistici e santi hanno detto che, quando raggiungono questo stadio, ogni sforzo viene a cessare. Non c'è niente altro per cui lottare. Sono in pace.

Sant'Ignazio di Loyola ha illustrato bene questo stadio al tempo del suo soggiorno a Manresa in Spagna. Si sentiva pervaso dalla certezza che Dio era con lui e che nient'altro importava. Una volta che ebbe assaporato la dolcezza dell'infinito in sé, fu convinto che la causa, la ragione e lo scopo dell'esistenza fossero chiari. Una tale certezza conduce verso la fase finale che è talvolta conosciuta con il nome di "ritorno". La sperimentazione di un'apertura del varco a livello spirituale lascia per sempre il segno in una persona. I sufi fanno riferimento a tali persone come ai "cambiati". I protestanti pensano lo stesso dei "salvati".

La sequenza chiamata, ricerca, lotta, apertura del varco e ritorno non appare solo nella nostra ricerca del significato della vita, ma anche in molte fiabe e miti. Come esempio può bastare la storia di Jack e la pianta di fagiolo. Rammenta come Jack si sentì chiamato a mettersi in moto per la sua avventura. Salì sulla pianta di fagiolo alla ricerca di qualcosa. Dopo poco arrivò per lui il momento della lotta. Dovette sconfiggere e conquistare il suo avversario. Ebbe il suo momento di "apertura del varco" quando trionfò sul gigante, ritornando quindi da sua madre con il premio dell'oca d'oro. La sequenza: chiamata, ricerca, lotta, apertura del varco e ritorno può essere utile anche a noi quando cerchiamo di estrarre un significato dalla pazzia.

Nel Concilio Vaticano II coloro che hanno tentato di trovare un modo per esprimere il significato della vita si sono trovati alle prese con il dilemma, proprio come noi. Hanno detto: «L'uomo guarda oggigiorno alle varie religioni per trovare le risposte ai profondi misteri della condizione umana che, oggi come nel passato, agitano profondamente l'animo umano. Ma che cosa è l'uomo? Qual è il significato e lo scopo della nostra vita? Che cosa origina il nostro dolore, e per quale fine? Cos'è la bontà e cos'è il peccato?

Dov'è la via per la vera felicità? Dov'è la strada che conduce alla verità sulla morte, il giudizio e il premio nell'oltretomba? Qual è infine l'ultimo, indescrivibile mistero che inghiotte il nostro essere, e da dove comincia la nostra ascesa, dove conduce il nostro viaggio?». Sapevano che nel cuore di ognuno si agita una grande nostalgia. In Mozambico si dice: «Il mio cuore è come un albero che cresce bene solo nel luogo in cui si sente a casa». Sanno che esiste una malattia nota con il nome di malattia del sonno. Si tratta di un malanno fisico. Sono inoltre consapevoli che esiste qualcosa di peggio. La chiamano malattia del sonno dell'anima. Il suo aspetto più pericoloso è che l'individuo non si rende conto che sta sopraggiungendo. È per questo che è necessario stare attenti. Non appena scopri il più piccolo segno di indifferenza, nel momento in cui ti accorgi di una diminuzione di desiderio, di entusiasmo o di gioia, consideralo come un avvertimento e renditi conto che la tua anima può soffrire se la lasci vivere superficialmente.

Esercizio Uno

«Parla, Signore, il tuo servo ti ascolta»

Sia che tu stia seduto o sdraiato, assicurati che il tuo corpo sia comodo e che coloro che ti sono vicini non ti stiano troppo a ridosso. Non permettere che la vicinanza degli altri sia di ostacolo alla tua capacità di pregare. Comincia con il fissare l'attenzione su qualsiasi suono tu sia capace di captare al di fuori della stanza e, dopo un po', dimenticatene. Concentra adesso la tua consapevolezza all'interno della stanza in cui stai pregando. Considera quali suoni riesci a captare in questa stanza. Dopo qualche tempo, porta la tua attenzione ancora più all'interno. Ascolta il suono dell'aria mentre inspiri. Lascia che il fluire del tuo respiro ti tranquillizzi. Fai in modo che tutto il tuo corpo sia equilibrato e attento, pur restando rilassato e disteso. Gli occhi devono essere chiusi o semichiusi e, se sono semichiusi, devono rimanere fissi su un determinato oggetto, come la fiamma di una candela o un crocifisso. Le mani devono essere tenute a palme in su e appoggiate liberamente in grembo. Comincia a respirare, lentamente e profondamente, tenendo le labbra leggermente aperte, inspirando attraverso il naso ed espirando attraverso la bocca. Inizia ora la meditazione.

Riporta alla mente le parole di Gesù: «Chiedi e ti sarà dato, cerca e troverai. Bussa e la porta ti verrà aperta». Ricorda anche le parole pronunciate in sogno dal ragazzo Samuele: «Parla, Signore, perché il tuo servo ti ascolta». Comincia ora a pensare alle volte in cui Gesù può aver cercato di parlarti. Prenditi il tempo necessario per iniziare un dialogo con il Signore e ricordarGli le volte in cui hai cercato un aiuto particolare. Che cosa hai chiesto? RicordaGlielo. Altri ti hanno forse domandato di pregare per le loro intenzioni, perciò ricorda a Gesù anche le loro richieste. Ci è stato detto di chiedere e di credere. Resta con questo pensiero e riponi la tua fiducia in Gesù.

Esercizio Due

La mia famiglia

Preparati per la preghiera nel tuo posto abituale. Inizia con il diventare conscio dei punti di contatto fra il tuo corpo e la sedia. Lasciati sostenere dalla struttura della sedia. Comincia ora a concentrarti sulla respirazione. Mentre respiri profondamente, mandando l'aria fino in fondo allo stomaco, chiedi che ti venga concessa la pace della mente che desideri. Mentre espiri, cerca di eliminare qualsiasi cosa che potrebbe disturbare la tua pace. Immagina ora di galleggiare per un momento in una calda oscurità. Lascia che i tuoi occhi si chiudano. Continua a usare il flusso ritmico del tuo respiro per calmarti. Quando sei pronto, comincia a far funzionare l'immaginazione a tuo beneficio. Riporta alla mente qualsiasi fotografia della tua famiglia che ricordi chiaramente. Scegli uno dei membri inclusi nella foto. Lo porterai con te nella meditazione. Questa persona è ancora viva, oppure è già andata nel luogo della ricompensa eterna? Ci sono dei ricordi che la fanno rivivere ai tuoi occhi, nel momento presente? Riporta alla mente qualsiasi storia o ricordo strettamente legato alla persona che hai scelto. Fa' diventare preghiera i tuoi ricordi e l'amore per questa persona. Prega ringraziando perché ha fatto parte della tua famiglia e perché hai una famiglia di cui fai parte. Resta con ciò che emerge alla superficie. Man mano che si avvicina il momento di concludere la preghiera, allontanati lentamente dalla scena. Comincia a diventare di nuovo conscio del ritmo della tua respirazione. Inizia con un'acuta consapevolezza del tuo lento respiro e sposta quindi l'attenzione all'interno della stanza. Porta infine l'attenzione fuori della stanza stessa, cercando di afferrare ogni rumore. Rendi quindi grazie a Dio per ciò che hai ricevuto. RingraziaLo per la famiglia e per gli amici che ti circondano e concludi la preghiera.

Esercizio Tre

Vivere in comunità

Se vivi con un gruppo o in una comunità religiosa, puoi provare una variazione della suddetta preghiera. Trova una posizione comoda per pregare e assicurati che il tuo corpo sia ben dritto e la spina dorsale in posizione eretta. Apri adesso le orecchie. Capta ogni suono che ti arriva e cerca di capire da dove viene. Comincia con qualsiasi suono proveniente dall'esterno della stanza. Scegli prima tutti i rumori più forti e poi, lentamente ma fermamente, inizia ad acquisire consapevolezza dei rumori più lievi, man mano che ti diventano chiari. Dopo qualche tempo, lascia che la tua consapevolezza ritorni all'interno della stanza, e comincia a separare i rumori che percepisci qui dentro. Restando in ascolto, potrai riuscire a separare i diversi suoni, come il ticchettio dell'orologio, o i rumori soffocati dei tuoi compagni di preghiera che stanno regolando il ritmo del loro respiro. È possibile che tu senta perfino il rumore dei loro abiti o delle loro sedie che scricchiolano. Adesso fai in modo che il tuo senso dell'udito vada ancora più in profondità. Che cosa puoi percepire o udire? Puoi diventare conscio del tuo stesso respiro o del rumore del cuore che batte dentro di te, oppure puoi diventar consapevole del suono dell'aria che entra ed esce dalle tue narici. Cerca di restare passivo come una radio che capta le onde dall'etere. Potrebbe esserti utile ricordare che in ogni respiro è contenuto il dono della vita.

Nell'immaginazione, riporta alla mente il gruppo con cui hai vissuto negli ultimi mesi. Ripensa ai diversi individui. Di' una preghiera per ognuno e ringrazia per i doni che ciascuno ha recato alla tua esistenza. Dove sembra che le caratteristiche non siano proprio un dono, prega affinché essi ricevano la grazia di essere pazienti se qualche tua abitudine non risulta loro gradita. Prega ora per la tua comunità e per ciò che è stata per te. Le seguenti domande possono aiutarti a mettere a fuoco la tua attenzione. Che cosa è risultato una sfida per me? Che cosa ho imparato nella comunità? In che aree penso di essere cresciuto? Quali aree hanno offerto un'ulteriore crescita o hanno avuto bisogno di maggiore attenzione? Che doni ho recato alla comunità? Che cosa mi ha dato vita? Cosa mi ha indebolito negli ultimi mesi? Quali erano i punti bassi? Quali erano i punti alti? Che cosa non ho risolto? Che cosa avrei voluto fare in modo diverso? Cosa sono contento di aver fatto?

Quando hai portato a termine questa meditazione, concludi l'esercizio gradualmente, e ritorna al momento presente mettendo per prima cosa a fuoco i suoni interiori. Riporta quindi l'attenzione all'esterno. Ascolta i rumori nella stanza. Muoviti poi oltre e ascolta i rumori al di fuori della stanza. Torna infine con l'immaginazione alla stanza dove hai iniziato l'esercizio.

Esercizio Quattro

Vangelo di san Luca
(Lc 1, 26-29)

Darai alla luce un figlio e lo chiamerai Gesù

> Nel sesto mese, l'angelo Gabriele fu mandato da Dio in una città della Galilea, chiamata Nazaret, a una vergine, promessa sposa di un uomo della casa di Davide, chiamato Giuseppe. La vergine si chiamava Maria. Entrando da lei, disse: «Ti saluto, o piena di grazia, il Signore è con te». A queste parole ella rimase turbata e si domandava che senso avesse un tale saluto.

Se guidi un gruppo in una delle storie del Vangelo contenute in questo libro, cerca di leggerti prima la storia diverse volte. Sii ben consapevole dei diversi elementi in essa contenuti.

Dopo aver sistemato e rasserenato i partecipanti con uno degli esercizi preparatori, puoi cominciare usando un esercizio di respirazione, o facendoli concentrare sui suoni circostanti. Quindi racconta o leggi la storia del Vangelo e invita tutti i membri del gruppo a creare la scena nella loro immaginazione, come se stessero assistendo all'evento in TV. Aiutali a fare uso dei loro sensi per rendere l'episodio più vivo. Possono immaginare la stanza dove Maria incontrò l'angelo, oppure in che tipo di giornata si verificò l'evento, l'aspetto dell'angelo, se era arrivato in silenzio o con un preavviso. Sant'Ignazio usa questo metodo di preghiera nei suoi *Esercizi spirituali* perché credeva che questa tecnica potesse condurre una persona da esperienze ordinarie a intuizioni spirituali. Ora, nell'immaginazione, vedi te stesso con la Madonna. Che età pensi che abbia e perché Dio l'avrebbe scelta per un tale speciale privilegio? Chi sono i suoi amici nel villaggio e come sono andate le cose per lei negli ultimi mesi? Desiderava un bambino o aveva per lo meno considerato una simile eventualità? Immaginati adesso insieme a lei il giorno in cui l'angelo arriva. Cerca di figurarti come possa essere stato. Era spaventata, felice o meravigliata? Quando le venne fatta la domanda se era disposta o no a diventare la madre di Dio, si rese conto di avere una scelta? L'angelo le recava da parte di Dio una libera scelta. Toccava alla Madonna accettarla o rifiutarla. Cosa pensi le sia passato per la testa mentre rifletteva sulla decisione da prendere? Che cosa sarebbe venuto a mancare se Maria non avesse accettato? Cosa avresti risposto se una tale proposta fosse stata fatta a te? Dio ti ha fatto altre offerte? Le hai accettate o rifiutate? Che cosa possiamo lasciarci sfuggire se non restiamo aperti?

Concludi con un Padre Nostro.

BIBLIOGRAFIA

• *Opere di Anthony De Mello*

Canto degli uccelli, Il, Edizioni Paoline, 1986.

Chiamati all'amore, Edizioni Paoline, 1994.

Contact with God-Retreat Conferences, Gujarat Shitya Prakash Anand, India 1990.

DYCH SJ WILLIAM (ed.), *Anthony de Mello, Selected Writings*, Orbis Books, Maryknoll, New York 1999.

Istruzioni di volo per aquile e polli, Piemme, Casale Monferrato, 1996.

Messaggio per un'aquila che si crede un pollo, Piemme, Casale Monferrato 1995.

Minuto di saggezza nelle grandi religioni, Un, Edizioni Paoline, 1987.

One Minute Nonsense, Gujarat Sahitya Prakash, Anand, India 1992.

Preghiera della rana. 1, La, Edizioni Paoline, 1989

Preghiera della rana. 2, La, Edizioni Paoline, 1990.

Rooted in God, St. Paul's, Bombay 1999.

Sadhana, Edizioni Paoline, 1991.

Taking Flight, Doubleday, New York 1995.

The Heart of the Enlightened, Collins Publishers, Fount Paperbacks, London/Doubleday New York 1989.

- *Sono disponibili tre videocassette di padre Anthony De Mello*

A Way to God for Today, con Anthony De Mello, Tabor Publishing.

Re-discovery of Life, Anthony De Mello.

Wake Up Spirituality for Today, con Anthony De Mello, Tabor Publishing.

- *Audiocassette*

Sadhana (12 cassette), *Wake Up To Life* (12 cassette), *Wellsprings* (8 cassette), *De Mello Satellite Retreat* (4 cassette). Pubblicate dal We and God Spirituality Centre, Fusz Memorial, St Louis University, 3601 Lindell Blvd, St Louis, 63108.

- *Bibliografia generale*

ANDERTON B., *Meditation*, Piatkus Guides, London 1999.

APPLETON G., *Reflections from a Life of Prayer*, SPCK, London 1995.

BALDWIN J., *A Learning about Retreats*, Mowbray, London 1982.

BARRY W.A., *Paying Attention to God: Discernment in prayer*, Ave Maria Press, Notre Dame, Indiana 1990.

BARRY W.A - CONNOLLY W.J., *Finding God in All Things: A Companion to the Spiritual Excercises*, Ave Maria Press, Notre Dame, Indiana 1991.

BORYSENKO J., *Fire in the Soul*, Warner Books, New York 1993.

BRYS A., *We Heard the Bird Sing*, Gujarat Sahitya Prakash, Anand, India 1995.

CALLANAN J., *Il sogno di Anthony De Mello*, Piemme, Casale Monferrato 1999.

–, *Lighting the Fire, Prayer in the style of Tony de Mello*, Cathedral Bookshops (cofanetto con due audiocassette).

–, *The Spirit of Tony de Mello, An Introduction to Prayer and Meditation*, Cathedral Bookshops (cofanetto con quattro audiocassette).
–, *Dove non osano i polli*, Piemme, Casale Monferrato, 1997.
CAPRIO & HEDBERG, *At a Dream Work-shop*, Paulist Press, New York 1987.
CARINGTON P., *The Book of Meditation*, Element Publishers, Boston, USA 1998.
CARROLL S., *Group Excercises for Adolescents*, Sage, London 1993.
CASSIDY S., *Good Friday People*, Darton, Longman and Todd, London 1991.
CONROY M., *Looking into the Well*, Loyola University Press 1995.
COOKE G., *Meditation*, The White Eagle Publishing Trust, England 1955.
COURT S., *Discover Meditation*, The Aquarin Press, London.
COVEY S.R., *First Things First*, Simon & Schuster, New York 1994.
COX M., *Misticism*, The Aquarian Press, Northamptonshire 1983.
CUMMINGS N., *Freedom to Rejoice*, Harper Collins, London 1991.
DAVIS R.E., *An Easy Guide to Meditation*, The Mercier Press, Cork 1988.
DESAI Y.S., *Meditation Practice Manual*, Shanti Yogi Institute, New Jersey 1981.
DOLAN J.R., *Meditations for Life*, Scotsman Press, Syracuse, New York 1991.
DONZE M.T., *In My Heart Room*, Liguori Publications, USA 1982.
DOWNING G., *The Massage Book*, Harmondsworth, Penguin, 1982.
FONTANA D., *The Meditator's Handbook*, Element Books, Dorset 1992.
–, *The Elements of Meditation*, Element Books, Dorset 1991.

FREEMAN L., *Light Within*, Darton, Longman and Todd, London 1986.

GALACHE G., *Praying Body and Soul (methods and practices of Tony de Mello)*, Columbia Press, Dublin 1996.

GARFIELD P., *The Healing Power of Dreams*, Simon & Schuster, New York 1992.

GAWAIN S., *The Creative Visualization Workbook*, New World Library, California 1995.

GREEN T.H., *The Practice of Spiritual Direction*, The Seabury Press, New York 1982.

GRIFFITHS B., *A New Vision of Reality*, William Collins, England 1989.

GROGA B., *Finding God in All Things*, Messenger Publications, Dublin 1996.

HALL D., *Healing with meditation*, Gill & MacMillan, Dublin 1996.

HAMILTON-MERRIT J., *A Meditator's Diary*, Unwin Paperbacks, London 1976.

HARI P.S., *Meditation – its theory and practice*, Shanti Sadan, London 1936.

HART W., *Vipassana Meditation*, Harper, San Francisco 1987.

HEALEY J. - SYBERTZ D., *Towards an African Narrative Theology*, Paulines Publications, Africa 1996.

HEBBLETHWAITE M., *Weeds among the Wheat: Discernment – Where Prayer and Action Meet*, Ave Maria Press, Notre Dame, Indiana 1984.

HUGHES G.W., *Oh God, Why?*, The Bible Reading Fellowship, England 1993.

HUGHES G., *God of Surprises*, Longman and Todd, London 1986.

HUGHES L., *Yoga, A Path to God*, Mercier Press, Cork 1997.

JOHNSTON W., *The Inner Eye of Love*, Harper & Row, San Francisco 1978.

–, *Being In Love*, Collins, Fount Paperbacks, London 1989.

KABAT-ZINN J., *Mindfulness Meditation for Everyday*, Piatkus 1994.

KAMALASHILA, *Sitting: A Guide to Good meditation Posture*, Windhorse Publications, Glasgow 1988.

KORNFIELD J., *A Path With Heart*, Bantam Books, New York 1993.

LAWLOR M. - HADLEY P., *The Creative Trainer*, McGraw-Hill Companies, London 1996.

LE SHAN L., *How to Meditate*, Turnstone Press Ltd, Wellingborough 1983.

LEVINE S., *Gioded Meditation (Explorations and Healings)*, Gateway Books, Bath 1991.

LONSDALE D., *Eyes to See, Ears to Hear: An Introduction to Ignatian Spirituality*, Darton, Longman and Todd, London 1990.

MADSEN L., *There is no Death*, Horizon Publishers, Utah 1990.

MARLIN B., *From East to West*, Collins, Fount Paperbacks, London 1989.

MCCANN C., *Time out in Shekina*, Eleona Books, Dublin 1998.

MCCRONE J., *The Myth of Irrationality: The Science of the Mind From Plato to Star Trek*, MacMillan, London 1993.

MCDONALD K., *How to Meditate*, Wisilom Books, London 1984.

MCRAE D. - FRENKEL D., *The Essential Meditation Guide*, Hill of Content Publishing Co. Ltd., Melbourne 1994.

MERTON T., *The Wisdon of the Desert*, New Directions Publications, New York 1960.

MOTHER MARY CLARE, *Learning to Pray*, Convent of the Incarnation, Fairacres, Oxford 1970.

MURGATROYD S., *Counselling and Helping*, Routledge, London 1985.

NASH W., *At Ease with Stress*, Darton, Longman and Todd, London 1988.

–, *People need Stillness*, Darton, Longman and Todd, London 1992.

NORRIS K., *The Cloister Walk*, Riverhead Books, New York 1996.

NOVAK J., *How to Meditate*, Crystal Clarity Publishers, 1989.

PENNINGTON M.B., *Centering Prayer*, An Image Book, Doubleday, New York 1982.

PRITZ A.L., *Pocket Guide to Meditation*, The Crossing Press Freedom, California 1997.

PROGOFF I., *The Well and the Cathedral*, Dialogue House Library, New York 1992.

PUHL L.J., *The Spiritual Excercises of St Ignatius based on Studies in the Language of the Autograph*, Loyola University Press, Chicago 1951.

REEHORST J., *Guided Meditations for Children*, Wm.C. Brown Company Publishers, Dubuque, Iowa 1986.

RINPOCHE S., *The Tibetan Book of Living and Dying*, Harper, San Francisco 1972.

SANFORD J.A., *Dreams*, Harper, San Francisco 1968.

SISTER VANDANA, *Waters of Fire*, Asian Trading Corporation, Bangalore 1989.

STONE H. - WINKELMAN S., *Decoding Your Dreams* (cassetta), The Mendocino Series, Delos Inc., P.O.Box 604, Albion, California 95410, USA.

WADUD SWANNI DEVA, *Meditation*, Rebel Publishing House Ltd., Poona, India.

WALTERS J.D., *Meditation for Starters*, Crystal Clarity Publishers, Nevada City 1996.

WEITZMANN K., *et al.*, *The Icon*, Bracken Books, London 1982.

WEST S., *Very Practical Meditation*, Whitford Press, Pennsylvania 1981.

WILSON J., *First Steps in Meditation for Young People*, James Clarke & Company Ltd., London 1957.

WILSON P., *Instant Calm*, Penguin Books, London 1995.

–, *The Calm Technique*, Thorsons, London 1987.

YOGANANDA p., *The Divine Romance*, Self-Realization Fellowship Books.

ZANZIG T., *Learning to Meditate*, St Mary's Press, Christian Brothers Publications Winona, Minnesota 1990.

- *Materiale supplementare*

«Studies in the Spirituality of Jesuits», *Issue on Jesuit Praying*, November 1989.

CHOPRA DEEPAK, *Perfect Health*, Bantam Books, New York 1990.

KENNEDY E., *My Brother Joseph*, St Martin's Press, New York 1997.

MCKEOWN K. - ARTHURS H. (a cura di), *Soul Searching*, Columbia Press, Dublin 1979.

METZ B. - BURCHILL J., *The Enneagram and Prayer*, Dimension Books Inc. Denville, New Jersey 1987.

MOORE T., *Meditations*, Harper & Collins Publishers, New York 1994.

POWERS I., *Quiet Places with Jesus*, Twenty-third Publications, USA.

- *Musicassette adatte come sottofondo per la meditazione*

AquaMarine Stairway, New World Company, Paradise Farm, Westhall, Halesworth, Suffolk IP19 8RH, England 1987.

As Water to the Thirsty, David Haas, GIA Publications Inc., 7404 South Mason Ave, Chicago, Illinois 60638, USA 1987.

Celestial Guardian, Philip Chapman, New World Company, Paradise Farm, Westhall, Halesworth, Suffolk IP19 8RH, England 1990.

Even Wolves Dream, Tony Miles, New Worls Company, Paradise Farm, Westhall, Halesworth, Suffolk, IP19 8RH, England 1993.

Guardians of the Reef, David Hudson, Indigenous Australia, P.O.Box 38, Balmain, NSW 2041, Australia.

Inspirations, Stephen Rhodes, St Pauls Multi Media Productions UK, Middle Green, Slough, SL3 6BS, England 1995.

Italian Recorder Music, Amsterdam Loeki Stardust Quartet, Editions de L'Oiseau-Lyre, Decca Record Company, London 1991.

Just Waves and Gulls, New Life Music, S.O.L. Productions Ltd., Quarantine Hill, Wicklow, Ireland 1993.
Kitaro, India Guitar, Geffen Cassettes, 9130 Sunset Blvd, Los Angeles, Warner Bros, CA 90069.
Merlin Meditation Music, Medwyn Goodall, New World Company, Paradise Farm, Westhall, Halesworth, Suffolk IP19 8 RH, England 1990.
My Life, S.O.L. Productions Ltd., Quarantine Hill, Wicklow, ireland 1992.
Officium, Jan Garbarek, The Huliard Ensemble, ECM Records, Munchen 1994.
Reflections, The Dameans, GIA Publications Inc, 7404 South Mason Ave., Chicago, USA 1982.
Return of the Angels, Philip Chapman, New World Company, Paradise Farm, Halesworth, Suffolk IP19 8RH, England. Tel. 0198 678 1682.
Reverence, Terry Oldfield, New World Company, Paradise Farm, Westhall, Halesworth, Suffolk IP19 8 RH, England (NWL 141) 1987.
Sacred Feelings, Douglas Spotted Eagle, The Soar Corporation, P.O. Box 8207, Albuquerque, NM 87198. Registrato ad Access Studios Salt Lake City, Utah, USA.
Temple in the Forest, David Meegan, NW CD 312.
The Fairy Ring, Mike Rowland, New World Company, Paradise Farm, Westhall, Halesworth, Suffolk IP19 8 RH, England 1982.
The Healer, Seamus Byrne, New Life Music, S.O.L. Productions Ltd., Quarantine Hill, Wicklow, Ireland 1992.
Tibetan Bells, Klaus Wiese, The Silverdale Centre, 11 Hall Drive, Mottram in Longedale, Cheshire SK14 6LH, England.
Whirling Waters, Anton Charles Hughes, Hallmark, Ganton House, 14-16 Ganton Street, London WIV 1LB, England 1995.

Notificazione

Il padre gesuita indiano Anthony De Mello (1931-1987) è molto noto a motivo delle sue numerose pubblicazioni che, tradotte in diverse lingue, hanno raggiunto una notevole diffusione in molti Paesi, anche se non sempre si tratta di testi da lui autorizzati. Le sue opere, che hanno quasi sempre la forma di brevi storie, contengono alcuni elementi validi della sapienza orientale che possono aiutare a raggiungere il dominio di sé, rompere quei legami ed affetti che ci impediscono di essere liberi, affrontare serenamente i diversi eventi favorevoli e avversi della vita. Nei suoi primi scritti in particolare, padre De Mello, pur rivelando evidenti influssi delle correnti spirituali buddiste e taoiste, si è mantenuto ancora all'interno delle linee della spiritualità cristiana. In questi libri egli tratta dei diversi tipi di preghiera: di petizione, di intercessione e di lode, nonché della contemplazione dei misteri della vita di Cristo, eccetera.
Ma già in certi passi di queste prime opere, e sempre di più nelle sue pubblicazioni successive, si avverte un progressivo allontanamento dai contenuti essenziali della fede cristiana. Alla rivelazione, avvenuta in Cristo, egli sostituisce una intuizione di Dio senza forma né immagini, fino a parlare di Dio come un puro vuoto. Per vedere Dio non c'è che da guardare direttamente il mondo. Nulla si può dire su Dio, l'unica conoscenza è la non conoscenza. Porre la questione della sua esistenza, è già un nonsenso. Questo apofatismo radicale porta anche a negare che nella Bibbia ci siano delle affermazioni valide su Dio. Le parole della Scrittura sono delle indicazioni che dovrebbero servire solo per approdare al silenzio. In altri passi il giudizio sui libri sacri delle religioni in gene-

rale, senza escludere la stessa Bibbia, è anche più severo: esse impediscono che le persone seguano il proprio buonsenso e le fanno diventare ottuse e crudeli. Le religioni, inclusa quella cristiana, sono uno dei principali ostacoli alla scoperta della verità. Questa verità, d'altronde, non viene mai definita nei suoi contenuti precisi. Pensare che il Dio della propria religione sia l'unico, è semplicemente, fanatismo. «Dio» viene considerato come una realtà cosmica, vaga e onnipresente. Il suo carattere personale viene ignorato e in pratica negato.
De Mello mostra apprezzamento per Gesù, del quale si dichiara «discepolo». Ma lo considera come un maestro accanto agli altri. L'unica differenza con gli altri uomini è che Gesù era «sveglio» e pienamente libero, mentre gli altri no. Non viene riconosciuto come il Figlio di Dio, ma semplicemente come colui che ci insegna che tutti gli uomini sono figli di Dio. Anche in affermazioni sul destino definitivo dell'uomo destano perplessità. In qualche momento si parla di uno «scioglimento» nel Dio impersonale, come il sale nell'acqua. In diverse occasioni si dichiara irrilevante anche la questione del destino dopo la morte. Deve interessare soltanto la vita presente. Quanto a questa, dal momento che il male è solo ignoranza, non ci sono regole oggettive di moralità. Bene e male sono soltanto valutazioni mentali imposte alla realtà.
Coerentemente con quanto esposto finora, si può comprendere come secondo la logica dell'autore qualsiasi credo o professione di fede sia in Dio che in Cristo non può che impedire l'accesso personale alla verità. La Chiesa facendo della parola di Dio nelle Sacre Scritture un idolo, ha finito per scacciare Dio dal tempio. Di conseguenza essa ha perduto l'autorità di insegnare nel nome di Cristo.
Al fine di tutelare il bene dei fedeli, questa Congregazione ritiene necessario dichiarare che le posizioni suesposte sono incompatibili con la fede cattolica e possono causare gravi danni.
Il Sommo Pontefice Giovanni Paolo II, nel corso dell'Udienza accordata al sottoscritto Prefetto, ha approvato la presente Notificazione, decisa nella sessione ordinaria di questa Congregazione, e ne ha ordinato la pubblicazione.

Roma, dalla sede della Congregazione per la dottrina della fede, 24 giugno 1998,
Solennità della Natività di San Giovanni Battista.

† Joseph Card. Ratzinger, *Prefetto*
† Tarcisio Bertone, *Segretario*

INDICE